物語のものがたり

物語のものがたり

梨木香歩

岩波書店

物語のものがたり

目次

装丁　緒方修一
装画　都築まゆ美

I　『秘密の花園』ノート

はじめに

『秘密の花園』は、フランシス・ホジソン・バーネットが、一九一一年に発表した小説です。それ以前にも、『小公子』や『小公女』など、多くの読者を得た作品がすでに出版されており、発表当時『秘密の花園』は、彼女の作品の中ではそれらを超えるものとは思われていなかったようです。

現在では、しかし、彼女の代表作として高い評価を得るまでになりました。さまざまな媒体で紹介もされていますので、原作をお読みになる機会を逸したとしても、粗筋(あらすじ)をご存知の方は多いと思います。

インドで孤児になった女の子・メアリは、叔父の所有する、英国・ヨークシャの広壮な屋敷に引き取られ、そこで秘密の庭を見つける。病弱な従兄弟(いとこ)・コリンと地元の農家の少年・ディコンの三人で、人に知られぬようその庭の手入れをする。健康になったコリンは、それまで疎遠だった父親に、見違えるような姿を見せて感動させる。

確かに簡単にいえばそうなのですが、この作品の醍醐味(だいごみ)は、実は読書中に見つける細部にある、ともいえます。ダイジェスト版では、それがなかなか味わえません。

例えば、伝染病のコレラの蔓延(まんえん)で皆が死に絶え、あるいは逃げ出したインドの屋敷の中で、ただ一人生き残ったメアリが、「小さなヘビ」を見つけ、しみじみ見つめ合う場面があります。冷血の者同士(メアリは乳母や両親が死んだことを知っても、悲しむことすら知らないような子なのです)といった、不思議な静謐と奇妙な連帯のようなものが感じられる、味わい深い場面です。やがて彼女が英国へ渡り、心身ともに健やかに成長し始めた頃、屋敷の奥の部屋の、クッションの中につくられた小さな巣に「ネズミの赤ん坊」を見つけます。ちょっとかわいい、というような感情を抱くようになります。そしてついには、ディコンの連れ歩く「ヒツジの赤ん坊やリス、カラス」なども屋敷の中へ招き入れるまでに変わっていくのです。この物語の、屋敷という「場」の中で、メアリの見つめる対象が、どんどん「温かい」動物になっていくのがわかります。

また彼女の引き取られる、築六百年にもなる屋敷の奥には、代々この屋敷に暮らした人々の、数え切れないほどの肖像画があります。メアリによく似た「緑のドレスの少女」の絵もかかっています。古めかしいドレスをまとったその少女は、ぎこちなく、無愛想な顔つき、鋭い目つきで、こちらを見下ろしています。

このこと自体は物語の流れには直接関係しない、たったそれだけの、ちょっとしたエピソードに過ぎないのですが、物語を読み込んでいくうちに、この「緑のドレスの少女」は、屋敷の人々の心に代々流れてきた、「家の悲しみ」とでもいうべきものが、その具体的な姿を取って現れたものではないか、という気がしてくるのです。

幾世代も続いた「家の抱える悲しみ」が、不思議な糸を用いた必然で、遠いインドからメアリという小さな女の子を呼び寄せた——そう思えてならないのです。

『秘密の花園』という物語は、個人の再生の物語であり、家の再生の物語でもある。メアリの物語とも、彼女の従兄弟・コリンの物語とも、「場所」の物語とも読むことができ、もちろん、私たちそれぞれの物語でもある。一つの読みだけが正しいということはなく、本作に限らず物語というものは、きっと、さまざまな読みを排除することなく、それらを響き合わせる求心力を持つことによって、自らその奥行きを穿(うが)っていくものなのでしょう。

そういう共振音を内在させる物語こそが、人の心をその深みで捉え、きっといつまでも読み継がれていくものなのだと思います。

未熟で心もとないガイドですが、よかったらごいっしょに「秘密の庭」へ足を踏み入れてみませんか。

（本文中の原作からの引用は、すべて山内玲子さんの訳された岩波少年文庫版に拠っています。）

［編集部注］　原作からの引用文章中、現代の目からは不適切な表現がありますが、原作の歴史性や雰囲気を考慮して、あえて原文のままにしています。

一

「わたしとヘビのほかは、だれもいない」場所から

それは、「生きているもののまったくいない静けさ」のようなものだったのでしょうか。

そのとき、目が覚めたメアリは、広い屋敷の中に、自分以外誰一人としていないことに気づきます。すぐに命令を果たしてくれる使用人であふれていたはずの邸内の、どの部屋にも誰もいません。

まるで悪夢のような体験のはずですが、彼女はその事態に腹を立てるものの、恐怖は感じていません。

まだまだ大人に頼らなければ生きていけない子ども、としてだけでなく、「生きるのに群れを必要とする動物」である人間としても、これは異様なことです。ましてやメアリは(これからわかってくることですが)一人では服の脱ぎ着もできないような、他人に依存することによってしか生きていけない、甘やかされたひ弱な子どもです。そんな子どもが、自分以外誰もいない、たった一人なのだ、というシチュエーションにおかれたのですから、さぞ心細いことだろうと思われますが、けれど、彼女は、それをまったく感じていません。

これはどういうことなのでしょう。

実は、「たった一人」という状況は、彼女には目新しいものではありませんでした。これまで彼女の生きてきた世界がすでにそうだったからです。どんなに多くの召使に取り囲まれていても、彼女はいつも「たった一人」でした。

メアリ・レノックスは、当時、英国領インドに派遣された英軍士官の一人娘として現地で生を受けました。母親は美しい人でしたが社交のことしか頭になく、最初から「小さな娘などほしくなかった」ので、世話はすべてインド人の召使に任せました。インド人の乳母・アーヤは、女主人の命令通り、「病弱で気むずかしい、かわいくない赤ん坊」をできるだけ人目につかないよう、泣いて女主人をうるさがらせぬよう、何でも赤ん坊の望むように動いたのです。

母親の完全な育児放棄と無関心で(メアリ自身は遠くから見つからないように美しい「メンサヒブ(奥さま)」を見つめるのが好きでした)、メアリは社会的には存在しないも同然の子どもでした。贅沢(ぜいたく)な邸宅の片隅で、完全に両親から隔てられて育ちます。

やがて近隣に発生した伝染病・コレラの猛威が屋敷に及び、召使たちがバタバタと倒れ、両親も相次いで亡くなります。残った使用人もパニックを起こして逃げ出し、メアリは一人取り残されてしまいますが、みんな自分自身のことで必死、そういう事態になりますと、もう誰からも思い出してもらえない。両親は死に瀕(ひん)した際も彼女の先行きを案じた形跡すらありません。思い出しもしなかったのではないかと思われます。

周囲に誰一人いなくなっても、精神的にはこれまでとなんら変わらず(自分が絶望的なほど孤独であり、寂しいのだ、ということに気づいてすらおらず)、ただ、世話をする者がすぐ近くにいない、という現実的な不便のために腹を立てている。

もともと（意識していないにせよ）寂寥感漂う心象風景の中で育ったメアリであれば、世話をする者のいない不便は感じても、改めて寂しさや孤独を感じることはなかったのでした。そう考えてみれば、彼女が生まれてこの方いた場所が、物質的にはともかく、幼児にとっていかに苛酷な世界であったか、と慄然とします。

メアリのような極端な例は少ないかもしれませんが、両親や周囲とまったく親和性を持てず、社会と繋がる方策も見出せず、また与えられないまま育つ子どももいます。そうでない子どもでも、実は心の片隅にメアリ的な孤独を——大なり小なり——抱いて生きているものではないでしょうか。いくら両親に愛されていたとしても、いつも百パーセントの理解が得られるはずはありません。

それでも人間は基本的に、生きる上で群れを必要とする動物ですから、生まれてできるだけ早い段階で、他者と関係を持つためのソーシャルスキルを学ばねばならなくなります。それは母親、あるいは母親に相当する人間との関係を土台にしますが、メアリにはそういう存在がいなかったのです。自分の存在を丸ごと受け入れ、関わりを持とうとしてくれる存在がどこにもいなかったのでした。

「生きているもののまったくいない静けさ」——いや、たった一匹、小さな、害のないヘビだけが、「宝石のような目でじっとメアリを見てい」ました。それまでメアリには誰からも「じっと見つめてもらう」という経験はなかったと思われます。召使はいつも目を伏せて、恭順の姿勢をとっていましたし、両親にはまともに会ったことすらないのですから。

ヘビを見ても、メアリはたじろがない。むしろ、ヘビとの親和性すら感じさせます。

そして、「おかしいわ、なんて静かなの。―略―まるで、この家には、わたしとヘビのほかには、だれもいないみたい」と、不思議そうに呟きます。

実際、彼女の心象世界には、温かなぬくもりを分け与えるような「生きもの」は、それまで存在しなかったのでした(こういう小動物に代表される「生きもの」は、物語世界では主人公の生命力をも表しているかのごとくです。私たちはこれから先、物語が進むにつれてどういう「生きもの」がこの作品に登場してくるのか、ちょっと気をつけていましょう)。召使たちはただ彼女の癇癪を恐れていましたし、彼女自身、彼らに対して酷薄な暴君以外の何ものでもなく、温かな愛情の通い合いなどということは起こらなかったのです(もしそういうものがあれば、コレラのときに、誰かが彼女のことを気にかけてくれたでしょう)。

アーヤがコレラに倒れ、瀕死の床にあるときも、(それを知らなかったとはいえ)彼女がいつものように世話に来ない、という理由でメアリは腹を立て、今度アーヤが来たらいってやろうと、「ブタ！　ブタ！　ブタの娘！」と歯ぎしりしながら呟いていました。それがインド人に対しての一番の侮辱の言葉だ、とメアリは知っていたのです。彼女は、こういう子どもらしい残酷さ、ずる賢さは十分に備えていましたが、子どもとして周りから愛される要素は、見事なくらい皆無でした。あまりの鼻もちならなさに、雇われた家庭教師は皆、三か月ももたずにやめていったぐらいです。

やがて、もう誰もいないはずの屋敷を見回りに来た父親の同僚たちが、そこで生き残っているメアリを発見します。幸いなことに、その同僚の一人が「だれも見たことのない子ども」の噂を思い出し、メアリはとりあえず現地の英国人牧師のもとで保護され、その後、英国の叔父に引き取られることになりました。

インドから英国へ

インドから英国へと、メアリの「生きる場所」は移動します。この「移動」の行程は、いわば彼女の「社会デビュー」の日々でした。自分と、自分の延長線上の手足のような召使だけの世界から、そうでない他者のいる世界への移動です。

雛(ひな)が卵の殻を破って出てくるような画期的な出来事ですが、雛であれば自分の新しい世界での振舞い方も本能的にわかっています。しかし、メアリは新しい世界に来たのだという自覚がないので、他者の存在とどう付き合っていけばいいのかということにも無自覚でした。対人関係のノウハウが極端に貧しいのです。メアリにとって、すべてはインドの子ども部屋からの続きなのでした。無理もない、といえば無理もないことです。親身になって教え諭(さと)す人もなく、何の準備もないまま、突然こういう状況に突き落とされたのですから。

母親が死んだと知っても——美しい彼女を遠目から見るのは好きでしたが——何の愛着も持っていなかったので、悲しいとも寂しいとも思いません。父親の死に至っては、メアリがどう感じたかの言及すらありません。メアリが気になるのは、ただ、これから先行くところでも、今までのように従順な召使が持て、自由にさせてもらえるだろうか、ということだけでした。

ここまで情緒の欠落した、付き合うに「憎たらしい子」として描かれても、読者に嫌な気分を与えないのは不思議です。きっと私たちは、何か彼女に、潜在的な力を感じているのでしょう。

物語の中では、この間メアリは、出会う人間すべてに、「なんといやな子だろう」と思われています。貧弱な体つき。顔色は悪く、痩せこけ、髪も老人のように生気がなくぺたりと頭部に張り付いているだけ。しかめっつら、思いやりのなさ、協調性のなさ、愛想のなさ……。

これでもか、これでもか、というぐらいの「かわいくなさ」です。

そう、彼女は「かわいく」ありません。それも含めて、大人に対しての「媚び」がないのです。これは、ヴィクトリア朝期、そしてその前後に描かれた児童文学の主人公としては、驚くべきことです。例えば、作者・バーネットの他の小説の主人公、『小公子』のセドリックや、『小公女』のセーラがいかに「いい子」であったか。

ただ、メアリは初めてよその家庭を経験することにより、微かにではありますが、自分には、ずっと家族がいなかったのではないか、という考えがふと胸に芽生えたのを自覚します。よその両親と子どもたちを見て、自分は、父親と母親が生きていたときも、「だれの子どもでもなかったような気が」する、と感じ始めました。

初めて自分を客観視したのです。

けれど、メアリは他の人間を「いやな人だ」と思うことはしょっちゅうでしたが、自分自身が「いやな子どもだ」ということは知りません。自分が他者にどう見られているかまでは、まだこの時点では意識できていないのでした。
それを――他者が自分をどう見ているかを――気にしすぎるのも考えものですが、知っていてとらわれないのと、まったく気がつかないのとは違う次元の話です。ある程度の客観性は、やはりあった方がいいように思われます。自分という檻(おり)から離れ、世界を眺める視点を持つことは、人に内省の機会を与え、人生を味わい深いものにしますから。彼女はもちろん、これからそれを獲得するわけですけれども。

ヨークシャのムアへ

メアリはちょうど里帰りする母子といっしょに英国へ連れて行ってもらえることになりました。インドから長い船旅を経て、ロンドンに着くのですが、この間の描写はほとんど何もありません。それに比べ、ロンドンからイングランド北部、ヨークシャのミスル・ムア(エミリー・ブロンテの『嵐が丘』等の舞台と同じような「ムア」です)に至るまでの汽車と馬車を使っての旅は、細部が具体的で、当時の「旅」の手順を彷彿(ほうふつ)とさせ、実に読み応えがあります。

メアリはこの道中でも、相変わらず愛想がありません。迎えに来た屋敷の女中頭、メドロック女史をさんざん呆(あき)れさせ、うんざりさせつつも、彼女からこれから住むことになる場所と新しい家族になる叔父についての情報を得ます。

――屋敷は築六百年の、広壮だが陰気な建物で、そのほとんどが鍵のかかった百もの部屋を持つ。ムアの外れにあり、周囲の広い敷地にはいくつもの庭がある。叔父・アーチボルト・クレイヴンは最愛の妻を亡くしてからというもの、もともとの人付き合いの悪さに輪をかけて孤独を好むようになった――。

メアリはその情報に好奇心を禁じ得ませんが、自分が夢中になっているということを相手に悟られたくないので、できるだけ無関心を装います。

彼女の性向として、周囲とはできるだけ関係を持つまいとするところがあります。自分の周りに塀を巡らし、防衛する以外に社交の術(すべ)を持っていないのです。が、クレイヴン氏が、妻を亡くしたと聞いたとき、思わず反応してしまいます。ひどく興味を惹(ひ)かれたのです。

メアリが初めて他人に好奇心を持った場面ですが、ゴシップ好きの感も否めません。が、ゴシップを好む軽佻浮薄(けいちょうふはく)には、実は、どこかで人間の陥りがちな失敗や偏りがちな性向、その因果関係を学び、ある種の普遍性を見出して自分の人生にフィードバックさせていこうという、意識されない学習意欲が常にあるような気がします。それから、真率(しんそつ)な同情も。少なくとも、彼女が他者の「痛み」にまったく無関心ではないとわかった、いう点が、喜ばしいではありませんか。

汽車が駅に着き、そこから馬車で村を抜けて、やがてムアに入っていく様子もまた、丁寧に記述されます。

「ムアの中のミスルスウェイト屋敷」という配置

メアリがミスルスウェイト屋敷最寄りの駅に着いたのは暗くなってからでした。そこから馬車で移動します。人々の生活の気配のする村を通り、十分ほどすると風景はひと気のないムアへと移ります。異界へ入っていきます。

「[…]広い荒涼としたムアは真っ黒な広大な海で、そのなかを馬車がひとすじのかわいた土地を通って進んでいるように思われたのでした。」

坂道を登っていくと、やがて門番小屋の明かりが見え、門を通り、敷地の内部へと入ります。まずムアという独自の生態系を持った世界があり、ミスルスウェイト屋敷はその奥で結界を張るように塀を張り巡らせています。その中では更に塀で囲われたいくつかの「庭」が存在するわけで、まるでミトコンドリアの二重膜のようです。各々塀に囲まれた空間は、その外部とは違った、独自の時間に支配されているのでしょう。各々の「庭」は、特に人の手を離れた「庭」は、二重の塀の外のムアとどこかで呼応しているようにも思われます。その一つは、具体的にいうと「ムアを吹き抜ける荒々しく新鮮な」風になります。

インドから英国へ、(記述はありませんが、たぶん)港町サウザンプトンからロンドンへ、ロンドン(たぶんパディントン駅)からヨークシャへ、そしてムアを経てミスルスウェイト屋敷へ。内奥へ内奥へと、メアリの旅は続きます。

その核となる屋敷本体に、メアリは初めて入るのです。

「玄関の扉は、巨大な、奇妙な形をしたオーク材の板で、大きな鉄の鋲があちこちに打ってあり、鉄の桟でとめてありました。扉をあけると、とても広い大広間がありました。薄明りのなかに、壁にかかった肖像画の顔や甲冑をつけた像がぶきみにうかびあがり、メアリは目をそむけたくなりました。石の床に立っていると、メアリ自身はとても小さい、奇妙な黒い人形のように見え、見た目のとおり、小さく心細く、奇妙な気分でした。」

そこで執事と思しき「身なりのすっきりした、やせた男の人」が出てきて、メドロック女史に、だんなさまは明朝ロンドンに発たれるので、この子には会いたくないといっている、と告げます。はるばるインドから長旅の末、辿り着いた姪――しかも両親を一度に亡くした――に、優しい言葉をかけるどころか、「会いたくない」というのです。

この言葉をメドロック女史と一緒に聞いていると思われるのに、メアリはショックも受けていません。関わりを持とうとしない近親の態度は、両親が生きているときから彼女には当たり前でした。何か、この傾向がこの一族にずっと在り続ける因となっている「悪循環」があるのでしょう。メアリが直接、この先祖たちと血縁があるのかどうかはわかりませんが、こうして運命に呼ばれてきているのですし、確かに親の世代で親戚になっているわけですから、メアリもこの一族に連なる子ども、といってもいいでしょう。

彼女は、さして傷ついた様子は見せませんが、ただ、「広い階段を上がり、長い廊下を通り、短い階段を上がり、また廊下を通り、もうひとつ廊下を通って」、彼女の領分として与えられた部屋に辿り着いたときには、これまでなかったほどに、「つむじ曲がりな」気分になっていました。

つむじ曲がり、というのは彼女がインド時代、牧師の家に一時的に引き取られたとき、そこの家の子どもたちがいつも不愉快そうなメアリに対してつけたあだ名です。

彼女の感情は、たいてい快か不快のどちらかで(ほとんど不快の方ですが)、怒りはあっても、喜びはおろか「悲しみ」すらありません。この重々しい部屋にたった一人残されたのですから、心細さに襲われてもいいような場面ですが、彼女は「これまでにない」不愉快な気分しか感じていないのです。

けれどたぶん、このときの不愉快の直接の原因は、叔父の彼女に対する態度ではないでしょうか。本人は気づいていませんが、彼女の世界に、意識されないでいた「深い絶望と悲しみ」が改めて広がったのではないでしょうか。

自分の部屋

メアリが自分の部屋で最初の夜を過ごし、目覚めたとき、彼女は若いメイドが暖炉に火を入れているのを見ます(そのメイドはそれから暖炉の火格子(ひごうし)の手入れをします。文字通り、彼女はこれから「暖める機能を高める」役目なのです)。

ヨークシャ弁丸出しで、物おじすることなくメアリに話しかけるメイド、マーサに、メアリは面食らいます。屋敷奉公のための訓練など何も受けていない、率直なマーサは、メアリに「だれがわたしの着替えをしてくれるのよ」と訊(き)かれると、「ひとりじゃあ着替えもようでけんの?」

と目を瞠りります。そして、今度当主が引き取った娘はインドから来る、と聞いていたので、メアリが「黒い人」かと思い、今朝早く、メアリがまだ寝ているときにそっと毛布を上げて確かめてみたのだ、と打ち明けます(当時、英国の田舎で黒人を見かけることはまずなかったのでした)。そうしたら、黒くなかったので、がっかりした、とも。正直で率直ですが、屋敷女中の洗練された行為とはとてもいえません。良くいえば、好奇心と探究心のかたまり、悪くいえば、不躾で無作法、そして無意識とはいえ、侵入的です。自分の周りに塀を巡らす質の、メアリのような子にとっては、到底我慢ならない犯罪的な行為だったことでしょう。女中・マーサは、まだまだ好奇心を抑えきれない子どもなのです。

この素朴で正直な告白を聞いて、メアリは当然のことながら激しい怒りと屈辱を感じます。「あんたは、インドのこと、なんにも知らないくせに。なんのことだって、なんにも知らないくせに！」と、叫びます。インド時代のメアリ付きの女中、アーヤはいつもへりくだり、メアリが命令する存在でしたし、腹がたてばいつでもその顔を平手でぶってもよかったのでした。メアリはこれほど対等にものをいう召使になど会ったことがありませんでした。

「メアリは怒りくるっていましたが、マーサがびっくりしてただ目を丸くしているのを見て、無力感を感じました。そして、なぜか急にいいようもないほどさびしくなりました。自分が理解でき、自分を理解してくれるものすべてから遠く離れてしまったと感じ、枕にうつぶして、はげしく泣きじゃくりました。」

人のいいマーサは、メアリの癇癪に肝をつぶします。次に、このメアリの激しい泣きようを見て、メアリを不憫(ふびん)に思います。「だんなさま」の姪、つまり主人側の人間をここまで怒らせたことに対する怖れや後悔はありません(いくらマーサが田舎育ちでも、当時の封建的な英国社会に生きる人間として、これは少しおかしなことです。「マーサ」という役目には、この風変わりさを持つ必然がありそうです)。マーサは純粋にメアリを気の毒に思い、姉のように優しく慰めます。確かに自分は、お屋敷女中としての訓練を受けていない、田舎者なのだ、と。そして、食うや食わずの生活をしている実家の話をします。貧しい家庭の切り盛りをする、優しく力強い母親。ムアで転げ回って大きくなっているという明るくたくましい弟や妹たち。そして、マーサ自身、太陽の光をいっぱいに浴びてすくすくと育った、素朴な野育ちの少女でした。

メアリは新しく自分の部屋となった場所で、初めて自分に率直にものをいう少女に会いました。何から何までメアリと正反対の、まるで自分の生きてこなかった半身のような少女に。

どこにあるかわからない「鍵のかかった庭」

マーサのおしゃべりの中で、メアリは、この屋敷の敷地の中にある、十年間閉ざされたままになっている「鍵のかかった庭」の存在を知ります。

メアリの一家がインドでコレラ禍(か)に遭ったのが、彼女の「九歳ごろ」という記述があり、ほどなくメアリは長い船旅を経てヨークシャに着いているので、メアリ自身もこの時点でほぼ十歳と考えていいでしょう(後に、その明確な記述も出てきます)。

つまり、「だれに育まれることもなく、十年間、うち捨てられていた」という点で、メアリと「庭」は、非常に近しい、パラレルな存在なのでした。

メアリは「十年間だれも入ったことのない庭」のことが、頭から離れなくなります。マーサに送り出されて初めて屋敷の外、敷地内の整備された庭を歩いてみますが、その間も、例の庭はどこだろうかという思いでいっぱいです。けれど、表だってその好奇心をあからさまにして、人に訊いて回るわけにはいきません。

一つには、それをするにはあまりにもメアリは人に弱みを見せたがらない、関わりを持とうとしない性格でありました。そしてまた、最愛の妻がその庭で事故に遭い、それがもとで亡くなったため、この屋敷の主人であるクレイヴン氏が、自ら鍵を埋め、人がそこに入ることを禁じたのですから、いわば、この庭の存在に触れることは、公然のタブーなのです。

そういう事情を抱えながら、悶々(もんもん)として(とは書いてはいませんが)敷地内を歩いているうちに、メアリは偏屈な老庭師・ベンと知り合いになります。このベンも、マーサ同様、雇い人として普通には考えられないほど率直にものをいいます。ただ、マーサと違い、皮肉屋です。自分でも自分の性格はわかっており、自分には庭のコマドリ以外友達は一人もいない、といいます。メアリがインドから来た主人の姪だと知ったのちも、

「おまえさんとわしはよう似とるわ。―略―同じ布からつくられたようじゃ。わしらはどち

らも、見た目はようないし、見た目のとおり、ひねくれておる。うけおうてもええが、おまえさんもわしと同じように、いじわるな性格じゃろうて。」

実際、ベンは、メアリの一面そのままを表しています。

後日メアリは、マーサから彼女の乏しい給金を割いて入手した縄跳びをプレゼントされたとき、くちごもるようにしてぎこちなく、「ありがとう」をいうのですが、マーサは、おもしろそうに、あなた、おばあさんみたいだ、とメアリを評します。マーサの周りの子どもたちなら、こういうとき抱きついてキスをして、感謝の念を表すのに、と。

確かに、メアリの感情の流れは――特に喜びや愛情の――滞りがちで老体がぎくしゃくするかのようにうまく流れて表出しません。その点で、まるで地面に突き刺した棒杭のようににべもないベンは、メアリの分身の一人ともいえるでしょう。

初対面で、ベンがいきなり自分たちの類似点を述べ始めたこの場面は、ベン自らそのことを語る場面なのです。

メアリは、ベンの言葉に、初めて他者から自分がどう見えているかを考えます。そのことがあまりに新鮮なので、怒りもしません。感情的な揺らぎはなく、新しい見方を手に入れた観察者のように冷静に受け止めています。世界が、少しずつ広がっていきます。

二

コマドリのさえずる場所

メアリは、この散策で初めてコマドリと出会います。果樹園の奥にあるらしい塀に囲まれた辺りで、一羽の胸の赤い小鳥が素晴らしい声でさえずっていたのです。

早春の小鳥の、木のてっぺんでの、世界に向けた晴れやかなさえずりは、この世に生きてあることの喜びを、生を丸ごと肯定する命の讃歌です。これを耳にしたメアリの胸に、このときほとんど生まれて初めて喜びのようなものが生まれ、微笑みといっていいような表情が浮かびます。喜びの波動が、メアリの心に届いたのでしょう。

バーネットの、この生き生きとしたコマドリの描写が素晴らしい。

日本語でコマドリというと、高山に住む珍鳥のようなイメージですが、この場合はイングリッシュ・ロビン。英国で庭仕事をしていると、必ずといってもよいくらいにそばに寄ってくる、人好きのする鳥です。

筆者の知人の義父は、ベンと同じくヨークシャに住む気難しい老人でした。唯一の趣味が庭仕事で、それもロック・ガーデンを丹精されていたそうです。その作業中はいつも、やはりロビンが友達でした。人間嫌いの方だったらしいのですが、このロビンにだけは気を許し、愛していたそうです。知人がそれを知ったのは、その義父があろうことか誤ってこのロビンを自らの足で踏み、死なせてしまったときのこと。「あんなに、気難しくて、感情を露わにしたことがなかった人が、なんと、泣いたんですよ。いつも彼の後をついて歩いていたのが、たまたまそういう不幸なことになったのね」。

この作品でも、コマドリについては(その悲劇的な死こそありませんが)まったく同じように動き回る、人懐こく愛くるしい存在として扱われています。

英国人にとっては、国民の友、といってもいいぐらいの鳥ではないでしょうか。市販のクリスマスカードのイラストになる頻度は、サンタクロースに次ぐ人気だと思います。

マーサからもらった縄跳び等で外遊びをし、出された食事を平らげるようになり、「ムアからの強い新鮮な風」で次第に力をつけてきたメアリは、やがてこのコマドリの導きで「謎の庭」の鍵を見つけ、ついにはそのドアまで見つけることになります。

前述したように、この作品の場面場面で出てくる小動物は、生命力そのものの化身です。空を自由に飛び回るコマドリは、天から何かの使命を担わされてやってきたようです。メアリを誘い、「秘密の庭」のドアを開けさせる存在です。

「なか」から聞こえる

メアリにその声が聞こえたのは、彼女にそういう「明るい」変化が現れた頃でした。コマドリを理解し、コマドリからも理解されているように感じ、体が温かくなるまで風の中を走り、生まれて初めて健康的にお腹がすいたと感じ、そして他者(秘密の庭の中で妻を亡くしたクレイヴン氏)に対して気の毒だと思う気持ちが生じてきた、という変化です。マーサのおしゃべりさえ、楽しいと思うようになってきました。

そういうなか、あの声は聞こえ始めたのです。

風にまぎれ、初めは外から聞こえたのかと思いましたが、すぐに、この声が「そと」ではなく、「なか」でしているのだ、とはっきり思います。今まで聞こえなかった、自分の本当の心の声が聞こえ始めたのです。

物語中では「屋敷の中のどこか、奥まった場所」であり、皆が秘密にしている場所です。マーサですら、明らかに泣いている声が聞こえるのに、それを風の音だと否定する。けれど、嘘をつきなれないマーサのぎこちなさをじっと見つめて、メアリはそれを信じません。

屋敷の「なか」の構造

大雨が続き、外へ出られない日が続きます。

ある日、メアリはマーサがふと漏らした、「この屋敷には図書室がある」という言葉から、屋敷内の探検を思いつきます。「ドアのしまった百の部屋」を確かめたくなったのです。

「メアリは部屋のドアをあけ、廊下へ出て、家の探検をはじめました。それは長い廊下で、ほかの廊下が枝分かれしていました。階段が数段あって、それを上がると、その先にまた階段がありました。たくさんのドアがあり、壁には絵がかかっていました。暗い、奇妙な風景画もいくつかありましたが、多くはサテンやベルベットの古風でりっぱな衣装を着た男の人や女の人の肖像画でした。」

それから更に、「細長い肖像画室」にも迷い込みます。「ひとつの家にこんなにたくさんの肖像画があるなんて、考えたこともありませんでした」というくらい、おびただしい数の肖像画に出会うのです。古い入り組んだ屋敷には、死者たちの居場所も十分に確保されているのでしょう。一人の人間の中に、先祖のさまざまな性質が潜んでいるように。

メアリはその一枚一枚にじっと見つめられているような気になります。肖像画のなかには、子どもたちのものもあり、なかの一枚、「ぎこちなく立っている、あまりかわいくない女の子」に、メアリは親近感を抱きます。その子は緑のドレスを着て、指に緑色のオウムをとまらせ、鋭く、好奇心に満ちた目でメアリを見ていました。

メアリは、更に階段を上がったり下がったり、狭い廊下や広い廊下を行ったり来たりしながら、自分以外の誰も、ここを歩いた人はいなかったように思います。本当にがらんとしていて、人が住んでいたことが信じられないほどなのです。このことは、「この朝のメアリのようにふしぎな時間を過ごした女の子はほかにはないでしょう」と記されているように、何度も強調して語られます。

実際そうだったのでしょう。メアリは今まで誰も歩いたことのない世界を歩いていたのでしょう。彼女自身の内界を。

ようやく三階まで上がったとき、初めてメアリは、部屋の扉を開けてみようと思いつきます。今まで廊下や階段を歩いてきて、部屋の扉はあっても皆閉まっていたのです。思いきって、一つの部屋のドアノブに手をかけてみると、それはするりと回り、扉は重々しく開きました。

それは広い寝室で、マントルピースの上には、あの、緑のドレスの少女の肖像画がありました。前よりもずっと好奇心に満ちた目で、メアリをじっと見つめているようでしたので、メアリは、きっと、この部屋がこの子の寝室だったのだろう、と思います。あまり見つめられすぎて、変になりそう、とも。

この物いわぬ「緑のドレスの少女」が、屋敷の奥でメアリをじっと見つめている、というシーンは、これ以降、一か所を除いてほとんど出てきませんし、もちろん、ファンタジーとしてこの少女が活躍するなどということはこの先もないのです。が、通奏低音のようにこの物語全体に響いてくるメタファー（隠喩(いんゆ)）のように思われてなりません。


「なか」にある「小さなインド」


それから次から次へと部屋を開けて中に入ってみました。どの部屋も壁には古い絵やタペストリーがかかり、奇妙な家具や風変わりな装飾品がおいてありました。

なかに一部屋、インド産と思われる象牙でできた小さな象が百個近くもあるガラス戸棚を持つ部屋に行きあたります。メアリはこういう象についてはインドにいたときによく知っており、しばらくそれで遊びます。

象の使い方や行動パターン等、それらが身近だったメアリにとって、それを再現させて遊ぶことは、インドを再現するようなことだったでしょう。そこは彼女の「インド時代」そのものでした。その部屋で、メアリは、その日探検を始めて以来初めての「生きもの」に出会います。ソファのクッションをかじって、母ネズミが居心地の良い巣をつくっており、六匹の赤ん坊ネズミがすやすやと眠っているのを見つけたのです。

「もしこわがらなければ、このネズミたちを部屋へつれていくんだけどなあ」とメアリは呟きます。

あの、屋敷の中に「生きているものはヘビしかいない」インド時代から、ついにここまで、まだまだ小さいとはいえ、メアリの住む屋敷のその奥に、「温かい」ネズミが巣をつくるまでになったのでした。

「近く」から聞こえる

屋敷の「なか」の探索にすっかりのめり込み、疲れたメアリは自分の部屋に帰ろうとします。が、「二、三度、廊下を曲がりまちがえたため」、「正しい道を見つけるまで」あちこち歩き回らなければならず、やっと、自分の部屋のある階に辿り着いたものの、それでもまだ、自分の部屋への道はわからず、どの辺りにいるのかさえわかりませんでした。

メアリはその日、ずいぶん、遠い旅をしてきたのです。誰の助けも請わず、たった一人で。

そのとき、近くでまたあの泣き声がします。立ち止まり、思わずそばにあったタペストリーに手をかけると、壁に架かっているのだとばかり思っていたタペストリーの後ろにドアがあり、それが開いたのでびっくりします。

後述しますが、秘密の庭へ通じるドアは、ツタのカーテンに隠された向こうにありました。同じようにタペストリーに隠されたこのドアも、秘密の庭に相応する、屋敷の中の核心的な場所に通じている、と思っていいでしょう。この場合の「ドア」とは、関所のようなものです。だがその関所には必ず番人がいる。関所とはそういうものですから。

庭の番人は「ベン」でした。庭のドアはどこにあるのか、と問うメアリに、そんなものはない、と突っぱねました。

このタペストリーの向こうのドアが開いたとき、そこには鍵束を手にしたメドロック女史がいました。許されない通行人は、もちろん激しく叱責されます。泣き声が聞こえた、と主張するメアリに、そんなものが聞こえるわけがない、さっさと自分の部屋に帰らないと横っ面をたたく(こんな言い方ってあるでしょうか)、と脅しながら、メアリを彼女の部屋に無理やり引っ張って連れて帰ります。プライドの高いメアリは、この扱いに「怒りで血の気が引」き、歯ぎしりして憤る(これもかわいらしい)。メアリ自身はこのときも「泣かない」けれど、確かに「だれかが泣いていた」、と思います。泣いているのは、誰なのか。声は以前より近くから聞こえました。

冬が去ろうとする

この事件から二日後、何日も続いた嵐がおさまった朝、メアリは世界の美しさに目を瞠ります。

「〔…〕きらめくような、真っ青な空がムア全体の上に弓なりに高く広がっていました。こんなに青い空をメアリは想像したこともありませんでした。インドでは空は暑苦しく、ぎらぎらと照りつけていました。ここの空は、深く涼しげな青い色で、美しい底なしの湖の水のように輝いていました。そして、どこまでも広がる青の高みのあちらこちらに、真っ白い羊の毛のような小さな雲が浮かんでいました。果てしなく広がるムア全体も、今までのようにどんよりと黒ずんだ紫色ではなく、わびしげな灰色でもなく、やわらかな青みを帯びていました。」

あまりの驚きに、思わずマーサを呼びます。マーサはにこにこして、この時季はこういうものなのだ、といいます。そしてムアがどんなに生き生きとした美しいところになるか、を、熱を込めて話すと、聞かされた方のメアリは、ムアを歩いて、マーサの家に遊びに行きたいといい出します。マーサは驚いたようにメアリを見つめ、それから「つやだしブラシをとって、いちど磨いた暖炉の火格子をまた磨きはじめ」ました。この間のとり方はなかなかのものです。マーサは驚き、喜んでいるのです。そして、一通り磨くと、「おっ母さん」に方法を訊いてみる、といいます。ここからひとしきり、マーサは母親の素晴らしさを語ります。メアリは、思わず、会ったことはないけど、あなたのお母さんが好きだ、といいます。今まで折にふれ、マーサから聞いた彼女の家族の話から、メアリはマーサの母親が好きになっていたのです。

「〔…〕分別があるし、よう働くし、気だてはいいし、清潔ずきだから、おっ母さんに会ったことがある人もない人も、みんな好きになってしまうんよ。」

これは、メアリが、まだ見もせぬマーサの母親を、好きだ、といったことに対するマーサの言葉です。それからメアリは、同じように会ったことがないけれど、マーサの弟のディコンも好きだ、というと、そりゃそうだろう、ムアの鳥も獣もみんなディコンが好きだから、とマーサは確信を持って応え、それからふと、でも、ディコンはメアリを好きになるだろうか、と呟きます。メアリは即座に、自分を好きな人間はいないから、好きにならないと思う、と応じました。この言葉に、マーサは思わず、「あなたぁ、自分のことは好きなんかね？」と訊きたくてたまらないというふうに尋ねます。

メアリはためらい、その問いについて考える。そして、「ぜんぜん好きじゃない――ほんとに」と答えます。そして、今までそんなこと、考えてみたこともなかった、と呟くのです。

前述の口（くち）さがないベンとの出会いで、他者が自分をどう見ているか、という視点を得たメアリは、今度は親しくなったマーサからの素朴な質問で、自分が自分自身をどう見るか、という視点を獲得したのでした。まったく好きになれない人間と、いつも一緒にいなければならない状況はストレスフルなものだと思います。ましてや、それが「自分自身」であってみれば、逃げようがありません。毎日が不愉快なのは当たり前です。

その日、メアリの朝食が終わるとマーサはいそいそと実家に帰りました。メアリは寂しくなり、外へ出ます。

久しぶりの晴天で機嫌のよい庭師のベンから、珍しく「春がきよるが。においがせんかね」と、声をかけられる。メアリは鼻をクンクンさせ、「なにかいい感じで、新鮮で、しめったようなにおいがするわ」と答えます。ベンは、土はいろんなものを育てる準備ができて喜んでいるのだ、といいます。そのうちいろいろな芽が出てくる、と。

土の中から出てくる「芽」とは、植物だけではありませんでした。コマドリが掘り返した土の中から、「鍵」が、それこそ芽を出すように鉄か真鍮の輪の部分が半分、見えているのをメアリは発見したのです。

光の一族——マーサ、ディコン、スーザン

ほとんどの植物は、芽を出すために光を必要とします。

この屋敷に来る前のメアリといえば、まるで暗く冷たい場所でうずくまっているような精神状態でした。芽を出す前の、冷暗所におかれた種のようなものです。

マーサはこの物語に登場したときから、メアリの「部屋」を暖めるのに力を尽くして(暖炉の手入れをして)いました。そもそも、そのマーサの家族がまた、メアリ(の一族)にとって、世界を一変させる「光」そのものでした。

マーサの母親、スーザン・サワビーは、まだメアリと実際に会う前から、娘のマーサから聞くメアリの惨めな状態に心を痛め、マーサを通してあれこれとアドヴァイスをしていました。例えば、温かいものを着て、できるだけ外へ出ているように、など。マーサに対しては、できるだけメアリを元気づけてあげるように、と。マーサへだけではなく、メドロック女史に直接働きかけ、メアリの生活がより開かれたものになるよう、訴えてくれたのでした。

読者は、メアリを通してだけであれば、メドロック女史のイメージを、冷たく厳格で、ネガティヴなものとしてしか持たなかったでしょう。けれどメドロック女史はこのマーサの母、スーザン・サワビーと小学校時代からの友人でした。メドロック女史がスーザンの人となりを(まるで自慢げに)クレイヴン医師に話すところは、別人のような生き生きとした印象を与えます。

クレイヴン医師はクレイヴン氏の従兄弟にあたります。それで、同じクレイヴン姓なのです。屋敷に属する人です。が、彼もまた、スーザンやその息子、ディコンには盤石の信頼をおいているようです。

「村の家に往診して、スーザンがついているとわかったら、おそらくその患者は救えるなと安心するんだよ。」

また、こういうこともありました。久しぶりに帰ったクレイヴン氏がムアを歩いているとき、スーザンが彼に歩み寄り、声をかけたのです。小作人の妻が、それまで話したことすらない領主に近づいて行って、自ら言葉をかけるなどというのは、ありえないことでした(さすがに、このときのことを述懐したクレイヴン氏は、最初は「出すぎたことだと思った」と、その印象を語っています)。スーザンにしてみれば、娘からメアリの病的な様子を聞き、心を痛めた末の、思い切った行動だったのでしょう。

スーザンの温かな母性は、メアリを助けずにはおれないのです(母性というものは、いざとなれば何にでも摑(つか)みかかる、崇高で、かつ獰猛(どうもう)なものです)。そして、今、メアリに一番必要なもの、つまり彼女に心からの「関心」を持ってくれるよう、その法的な保護者に訴えたのです。最初は戸惑ったものの、クレイヴン氏はすぐに彼女の賢さや知恵の深さを見抜きます。それで、メアリが英国に着いた当初の頃は、会おうともしなかったクレイヴン氏でしたが、今回は自ら、メアリを部屋へ呼んだのでした。そこで、メアリは思い切って庭いじりをする許可を乞います。もちろん、どの庭を、とはいわずにおきます。クレイヴン氏もメアリに対して積極的な悪意はなく、ただ、関心を持つことができないでいたのです。スーザンが暗にクレイヴン氏に要求したのは、子どもには関心を傾けてやらなければならない、ということでした(思えばメアリは、実の父母からさえ、関心を持たれたことはなかったのでした)。この叔父との会見から、メアリは、どこだろうと気に入った土地を自由に使っていいという許可を得ます。

スーザンの息子、ディコンもまた、その姉や母に似て、いいえ、野性味という点ではそれ以上に、大地の温かさを感じさせます。

ムアに棲むすべての動物がディコンに心を許し、ディコンもまた、彼らを慈しみ、言葉を交わすことができるらしいのです。ムアのことなら何でも知っているというディコンに、メアリはぜひ会いたいものだと思います。

光の母、スーザンと、その子どもたち、とりわけマーサとディコンは、生命力の化身であり、ムアの中の聖家族のように光り輝く存在に思えます。

庭の内側に立つ

鍵が見つかれば、今度は扉です。鍵が見つかった次の日、メアリは扉を発見しました。またコマドリのおかげです。この喜びに満ちた「小動物」は、本当によく「働き」ます。メアリを導き、扉を見つけさせるのです。


「〔…〕メアリは大きく息を吸い、ふりかえって、だれか遊歩道のほうへきていないかたしかめました。だれもきていません。いつだって、だれもくる人はいないようでした。そしてメアリはもう一度大きく息を吸うと――そうせずにはいられなかったのです――揺れるツタのカーテンをかきわけて、扉を押しました。扉は、ゆっくり、ゆっくり、開きました。

それからメアリはすきまからするりと入り、扉をしめると、扉を背にして立って、あたりを見まわしました。興奮とおどろきと喜びで、胸が高鳴り、呼吸が早くなっていました。

メアリは、秘密の花園の「内側」に立っていたのです。」

更に長い引用になりますが、この奇跡的な、美しい瞬間、長い間焦がれた「場所」にとうとう入ることができた少女の「目」になって、この荘厳な庭を眺めてみましょう。

「その庭は、想像もできないほどすてきで、神秘的に見える場所でした。その庭をとり囲んでいる高い塀には、葉のないつるバラの茎がおおいかぶさり、びっしりとからみあっていました。メアリはそれがバラだとわかりました。インドでバラはたくさん見ていたからです。地面は茶色に枯れた草ですっかりおおわれていて、ところどころに、枯れているけれどもバラの木らしい茂みのようなものがありました。スタンド仕立てのバラもたくさんありましたが、枝が伸びほうだいで、小さな木のようになっていました。

バラ以外の樹木もありました。それはなんともいえず不思議で、うっとりするほど美しい庭でした。ひとつには、つるバラが樹木の上を伸びていって、長いつるが垂れ下がり、軽いカーテンのように揺れていて、あちらこちらでたがいにからみあったり、遠くへ広がっている枝に巻きついたり、樹から樹へからみついて、美しい橋のようにつながっているからでした。―略―

「なんて静かなんでしょう！」メアリはささやきました。「なんて静かなの！」

それから、メアリは少し待って、その静けさに耳をかたむけました。いつもの木のてっぺんに飛んできていたコマドリも、ほかのものと同じように、静かにしていて、羽ばたきさえもしませんでした。身動きもせずじっととまって、メアリを見ています。

「静かなはずよね。」メアリはまたささやきました。「この十年間、ここで口をきいたのは、わたしがはじめてなんだもの。」」

それからメアリは、「小さな緑のとがったもの」が、黒い土の中から出てきているのを発見します。気をつけて見てみると、それはあちこちに見つかりました。メアリは、それが成長しやすいように、周りの草を抜いてやります。その仕事にすっかり夢中になって、昼食の時間までの数時間を庭で過ごします。

メアリは本当に幸福でした。雑草や硬い土で窒息しそうになっていた芽を、いくつもいくつも世話してあげたのです。初めて自分以外の「誰か」のために一生懸命働いたのでした。

昼食のとき、メアリはマーサに「タマネギみたいな白い丸いもの」について訊き、それが球根と呼ばれるものだということ、春の美しい花々はたいていが球根から大きくなるのだ、と教えられます。けれど、「秘密の庭」に入ったことは、いくらマーサでもまだ話すことはできません。慎重に、庭仕事のためのシャベルが欲しいのだけれど、と相談をもちかけると、マーサは、自分の弟のディコンに頼めばいいと、提案します。

会ったことはなくとも、今までマーサの話を通して、メアリもディコンのことはよく知っていました。今こそ自分がディコンの助けを求めるときだということ、ディコンから自分がどんなに多くのものを得ることができるかということを、無意識のうちに悟ったのでしょう。願ってもないこと、とメアリはその提案に飛びつきます。

光の使徒

メアリが初めてディコンと出会ったときの彼の様子ときたら、まるで牧神フォーンの登場を見るようです。木の下に座って笛を吹く彼の周りで、キジやウサギ、リスたちがその音色に聞き惚れていました。ディコンの鼻は上を向き、頬はひなげしのように赤く、髪は赤茶の巻き毛でした。つぎはあたっていますが、清潔な身なりをしていました。

ここで、清潔な身なり、とわざわざ作者が明記しているのが、実にヴィクトリア朝の名残がある児童文学らしいのです。貧しい服でもきれいに洗濯してある、つまり彼は勤勉な母親のいる家庭の子なのです。さりげないところですが、時代の価値観、倫理観がよく表れています(読者の中には反発を感じる人もいるでしょうし、我が意を得たり、とうなずく人もいるでしょう。そういう「感じ方」に「正解」はなく、その「差異」に読み手自身が映し出される、というところもまた、読書の愉快なところだと思います)。

「近くに寄ると、メアリはディコンがヒースと草と木の葉の清潔で新鮮なにおいがするのに気がつきました。まるでディコンはそういうものでできているといってもいいほどでした。メアリはそのにおいがとても好きでした。」

メアリという存在が、ディコンという「特性」に開かれていくのがわかります。光を感知した芽のようです。

そして、メアリがついに初めて「秘密の庭」のこと、自分がそれを発見し、甦(よみがえ)らせたく思っていることを他の人に打ち明ける場面です。メアリは会ってすぐにディコンが信頼できる子だということがわかりましたし、ディコンも、自分は鳥や獣の秘密だってしっかり守れる、と宣言したから(後述しますが、この、「秘密が守れる」という言葉は、この物語全体の重要なキーワードになっていきます)。

メアリは、早口で、わたし、庭をぬすんだの、とディコンに打ち明けます。この、早口でいうところが、彼女の後ろめたさを表していてかわいらしく、なんだかいいのです。でも、というように彼女は続けます。ここからの場面が、この物語中の圧巻の一つだと思われます。

「だれもその庭をいるといわないの、だれもほしがらないの、だれもそこへ入ろうとしないのよ。―略―ほかの人はだれもかまわないんだから、だれもわたしからそれをとりあげる権利はないわ。それを閉ざしたままにして、死なせているのよ!」

彼女はわっと激しく泣き出します。

このセリフは、まるで彼女の魂が、彼女自身のことをいっているかのようです。誰も自分のことをほしがらない、誰も構いもせず、死んだような状態にして放っておいた！

生まれてこの方、ずっと！　ずっと！

怒りとも悲しみともつかない叫びです。彼女の魂が、光に向かって甦生しようと、すさまじいエネルギーを爆発させた瞬間です。今まで誰も私に光をあてようとしなかった、生かそうと努力さえしてくれなかった、ならば自分で光を求めていくのだと、宣言したのです。

何の場合でもそうですが、その「もの」を知るまでは、それがどんなものか、自分がそれを必要としているのかどうかすらわかりません。けれど、そういうものの存在を知ったとき、メアリが光というものの存在を認識した今、徹底的に不足していた栄養素に出会った消化器官のように、それこそが自分の必要とするものだと悟り、彼女の「光を求める力」、「生きようとする本質」が目覚めた、ここはそういう場面なのでした。

心優しいディコンは、もちろん、この秘密を守り、庭の甦生に力を尽くすことを約束します。

三

屋敷の核心へ

ディコンに会ったのは、春の到来を予感させる、陽の光にあふれた一日でした。そしてそれはメアリの中のある「準備」をととのえたのでしょう。メアリはいよいよ屋敷の核心と出会うことになります。

明日もディコンに会えると良い、と願いながら眠りについたメアリは、夜中に雨が激しく窓をたたく音で目が覚めます。風が荒れ狂って吹き荒(すさ)んでいます。ここで作者は、少し気になることを書いています。

「もの悲しげな音のせいで目がさえてきました。メアリもまた、悲しい気分だったからです。もしメアリが幸せな気分だったら、その音はたぶんメアリを寝かしつけてくれたでしょう。」

光のようなディコンに会ったからといって、そして明日が来ることを楽しみにしているからといって、それだけではまだ決して解消されない「悲しみ」が、メアリの存在の奥深くに横たわっているのです。そしてその「悲しみ」は、吹き荒ぶ嵐の音に共鳴して、メアリを通してこう表現します。自らを許するように。

「まるで、だれかがムアで道に迷って、泣きながらどこまでもさまよっているみたい」

そしてその同じ「悲しみ」に共振したかのように、また別の場所からすすり泣く声が聞こえてくるのに、メアリは気づきます。今度こそ、どうしても、それをつきとめようという固い決意のもとにベッドを抜け出し、以前迷った時の記憶を頼りに、廊下を歩きタペストリーの向こうのドアを開け、明かりのついている部屋へ足を踏み入れます。

こうして、メアリはついに、従兄弟・コリンに出会ったのでした(それにしても、コリンに出会うときのシチュエーションといい、ディコンに出会うときのシチュエーションといい、これしかないというような舞台設定です。こういうことはきっと、考えてできることではなく、バーネットのペンが、まさしく「これしかない」というように自然に走って行っている、その息づかいさえ感じさせます)。

真夜中というのは非日常的な時間です。その上に、外は吹き荒ぶ嵐、否が応でも外界と隔絶して、自分自身の深みに降りていくしかしようがないような状況です。生まれてから十年間、そのほとんどを、暗く締め切った部屋のベッドの上で、死の恐怖に脅(おび)えながら、いったい幾夜、こういう恐ろしい夜を、この病弱な男の子、コリンは一人で過ごしてきたのでしょう。もう、これ以上は本当に耐えられないという思いだったに違いありません。

そういう夜、その「悲しみ」から湧き上がってきた幽霊のように、少女が突然現れるのです。まるで、コリンの「悲しみ」が、この少女をインドから招き入れたかのようです。コリンは、夢か現実か訝しみながらも、互いに自己紹介をしていくうち、少女がどうやら現実の世界から(も)やってきた存在であるらしい、と理解します。

少女・メアリは、コリンと話すうち、どうやらこの少年は自分と同じように甘やかされて育った、わがままな性質だということに気づき始めます。そういう「におい」を感じ取ったのです。けれど、何といっても、年上の人間ばかりの屋敷の中で、初めて同年齢の子どもと出会ったのです。しかも、すぐにわかることですが、二人の気質はふたごのように似かよっています。が、初めて出会ったこのときの、それぞれの状況は必ずしも同じではありませんでした。

コリンが寝たきりで、ほとんど変化のない日々を過ごしていたのに対し、メアリは地球を半周もするような旅をしてきました。しかもこのムアに来てからの「外界への開かれ方」の進歩といったら、特筆すべきものがあります。「庭」の植物たちに対して、小さいながらも母性の目覚めのようなケアを見せたメアリは、同じように、コリンにインドの話をしてやり、子守歌を歌ってあげ、寝かしつけてから自分の部屋に戻ります。同年齢とはいえ、お姉さん格です。ムアに着いてすぐにコリンと出会ったのでしたら、こうはいかなかったでしょう。

屋敷の中心で起こること

メアリがコリンに会ってしまったと知ったとき、マーサとメドロック女史は、一時パニックになりますが、やがて、気難しいコリンがそれを望んでいるのだとわかると、キツネにつままれたように思いながらも、メアリがコリンの部屋を訪れることを容認するようになります。

コリンはメアリが話す「春を迎えた庭」の描写をたいそう気に入りました。メアリは、ディレンマに陥ります。今はまだ、「秘密の庭」に、自分がすでに入ったことを話すわけにはいかない。まだまだコリンが「秘密を守れる」人間かどうか、よくわからないからです。けれど、このまま話し続けると、どうしてもしゃべってしまう……そうだ、秘密の庭のことはいわずに、ディコンのことを話せばいい、とメアリは思い立ち、彼がどんなユニークな愛すべき「容貌」をしているか、野の動物たちがどんなに彼を慕っているか、彼もまた、どんなに動物たちやムアそのものを愛しているか、を語り始めます。コリンはすっかりディコンに引き付けられます。

二人きりで長く話していると、それも一日の大半を共にするような形で言葉を交わしていくと、二人で会話しているのに、なんだか独りごとを呟き続けているような気持ちになることがあるものです。二人の間の会話は、そういうふうに、知らず知らず、互いが抱えていることの核心的な部分を逍遥(しょうよう)していきます。

昔、コリンがチフスに罹(かか)り、メドロック女史が、彼のベッドの枕元で、「今度こそきっと死ぬだろう、本人にとってもだれにとっても、それが一番いいこと」というような、子どもに向かって決していってはならないことを、うっかり呟いたことがありました。そのとき、寝ているとばかり思っていたコリンが、大きな目を開けて彼女のことをじっと見ていたというのです。女史はどうなることかと心臓の止まるような思いをしましたが、コリンはただじっと彼女を見つめ、それから、「水を少しおくれ、それからしゃべるのをやめてくれ」といっただけだったそうです。

その話は、マーサからメアリへのおしゃべりとして語られています。コリンが打ち明けたわけではありません。けれど病と闘っている最中の子どもが洩(も)れ聞くにしてはあまりにも残酷な台詞(せりふ)です。そして、いつも自分の前では恭順の姿勢でいるメドロック女史の、その「調子の違い」に、この鋭い子は、ああ、彼女は今、本音で話したのだ、と、深くその言葉を自分の心奥(しんおう)に持ち込んだに違いありません。

コリンとメアリがおしゃべりに興じるようになると、コリンが何かにつけ、「自分はもうすぐ死ぬのだから」ということに、メアリは次第に苛立つようになります。メアリはコリンがそのことを得意がっているのではないかとさえ疑います。病気であることを特権の一つのように振りかざす、そのことが、やはり「お山の大将」として生きてきたメアリには我慢ならないのです。

みんな、自分のことを死ねばいいんだ、と思ってる、と呟くコリンに、そんなことはないわ、とメアリは反論します。

「それを聞いて、コリンはふりむいてまたメアリのほうを見ました。

「そう思う?」とコリンはいいました。

それからクッションの上に横になって、じっとしていました。なにか考えているようでした。それからしばらく沈黙がつづきました。たぶんふたりとも、子どもはあまり考えないような奇妙なことを考えていたのでしょう。」(傍点引用者)

深い孤独の中で、一人の人間が自問自答しているような場面です。

コリンはまた、主治医のクレイヴン医師のことも、見抜いています。子どもは大人が考えるよりずっと、本質的なことを見抜きます。クレイヴン医師はコリンの父親の従兄弟なので、コリンが死ねばこの広大なミスルスウェイトの屋敷と地所が彼の所有になるのです。

「ぼくの具合がわるくなると、まさかそうはいわないけれど、いつもうれしそうな顔になるんだよ。ぼくがチフスにかかったときなんか、顔がすっかり太っていたよ。」

確かにクレイヴン医師は、コリンがメアリと出会って元気を取り戻していくのを、歓迎してはいない様子の描写が多く出てきます。毒を盛るとかこそしませんが、明らかに、本来の「回復」からは程遠いようなことばかりコリンに「処方」してきました。ずっと寝かせておいたり、必要でない装具をつけさせたり、病気であることを忘れないこと、すぐに疲れる身であるのを忘れないこと、といってみたり。けれど、根っからの悪人ではありません。クレイヴン医師は不承不承ながらも、コリンがメアリと出会い、庭に出るようになり、元気になっていくことを認めています。ミスルスウェイト屋敷そのものが持つ(彼もその血筋ですから)、消極的な悪意、子どもを健康に育まない、なんとなく不幸の方へ親和性を持っている、そういう気質なのです。

それがわかっているからといって、コリンはクレイヴン医師を遠ざけたりはしません。人間とはそういうもの、という諦めがこの十歳の子にはすでにあるのでしょう。

この屋敷では「コリンの機嫌をとり、癇癪を起こさせないようにする」ということが、上から下に至るまで、最重要課題でした。それゆえにメアリをコリンから遠ざけていたのでしたから(コリンがそもそも、自分の姿を他人に見られることを極端に嫌ったため)、コリンがメアリに会うことを望むようになった今、事態は逆転しました。

人々がそれほど恐れる「コリンの癇癪」に、メアリはほどなく遭遇します。原因はその日、メアリが朝からディコンとの庭仕事にかまけて、コリンの部屋へ行かなかった、ということでした。でもその朝は、雨続きの一週間(けれどこの間、毎日コリンと一緒に本を読んだりおしゃべりしたりして、メアリは楽しく過ごしたのですが)の後で、メアリが思わず外へ飛び出すほど、素晴らしい朝だったのです。

四

庭の朝

「空がふたたび青くなった最初の朝、メアリは早く目がさめました。お日さまの光がブラインドのすきまから斜めに差しこんでいました。それは喜びにあふれる光景だったので、メアリはベッドからとび起きて窓にかけよりました。ブラインドを引き上げて、窓をあけると、新鮮な、いいにおいのする空気がさーっと流れこみました。ムアは青く広がり、まるで世界じゅうに、なにか魔法のようなものが起こったかのように見えました。あちこちで、あらゆるところで、やさしい、フルートを吹くような音が聞こえました。たくさんの小鳥たちがコンサートのために音合わせをはじめているようでした。メアリは窓から手をのばして、お日さまにかざしました。

「あたたかい――あたたかいわ！」メアリはいいました。「これで、緑のとがった芽がどんどん上へ上へ伸びてくる、そして球根や根が土のなかで、いっしょうけんめいはたらいてがんばるんだわ。」

メアリはひざをつき、窓からせいいっぱいにからだをのりだして、深く息を吸いこみ、空気のにおいをかぎましたが、そのうち笑いだしました。ディコンのおっ母さんが、ディコンの鼻の先がウサギの鼻のようにぴくぴくする、といったことを思い出したのでした。」

本当にこの作品では、冬から春への変わり目に幾度となく繰り返される雨(日本では三月というとおだやかで暖かいイメージですが、英国では小さな嵐のような、激しい風雨の続くシーズンというイメージが強いようです)の、そのたびごとに、世界が生きる喜びで更新されていくようなムアの描写が、たとえようもなく生き生きと美しく描かれています。まさしく、再生！　再生！　と行間から春の精が叫んでいるかのようです。

メアリは、自分が今、屋敷中の誰もまだ活動を開始していない、普段経験したことのない早朝に起きてしまったことに気づきますが、もう矢も盾もたまらず、一人で着替え、外へ飛び出します。美しい世界の描写を、もう少し続けたいと思います。

「ひととびで踏み段をとびこえると、メアリは草地――前よりも緑色が濃くなっているようでした――に立って、お日さまの光を全身にあび、あたたかい、甘い香りのするそよ風が吹くのを感じました。あらゆる茂みや木から、笛を吹くように鳴いたり、さえずったり、歌ったりする小鳥の声が聞こえました。心が喜びでいっぱいになって、メアリは両手を握りしめ、空を見上げました。空は真っ青とピンクと真珠色と白にいろどられ、春の光に満ちあふれていたので、メアリは自分もフルートを吹いたり、大声で歌ったりしそうになりました。

―略―

長くつづいたあたたかい雨が、低い塀にそった遊歩道の両側の花壇に、不思議なことを起こしていました。植込みの根元からなにかが芽を出し、伸びはじめていて、あちこちのクロッカスの葉のあいだに紫色や黄色のものがちらほらと見えていました。六カ月前のメアリお嬢さんだったら、世界が目ざめようとしていることに気づかなかったでしょうが、今では、なにひとつ見逃しはしませんでした。」

ここでなんとメアリは、すでに作業に入っているディコンを見つけるのです。誰かと喜びを分かち合いたいとしたら、これ以上のときはない、というような今、ディコンは頼もしくもそこにいてくれるのでした。けれど、これは不思議なことでもあります。ディコンの家からこの屋敷まで、五マイル、約八キロもあるのです。まだお日さまが昇ったばかりなのに、とメアリが驚くのは無理もありません。

ムアの大気の動きさえ感じとれるディコンは、もう夜のうちに、大地が素晴らしい朝を準備していることに気づいたのでした。そしてまだ暗いうちから、ムアの植物動物たちの喜びのささやきを聞き取りながら、庭まで歩いてきたのです。

「おいら、お日さまよりずっと早く起きたんじゃ。どうして寝てなんかいられる？　今朝は世界がまたはじまったんだ。みんなせっせと働いたり、ブンブンと音をたてたり、ひっかいたり、ピーピー鳴いたり、巣をつくったり、いいにおいを出したりしとるんじゃけん、ベッドからとびだして外に出ずにはおられんのよ。お日さまがぱっと顔を出したとき、ムアじゅうが喜んでめちゃくちゃに興奮した。おいらはちょうどそのときヒースの真ん中におったんじゃけど、おいらもめちゃくちゃに興奮して走ったさ、大声でさけんだり歌ったりしながら。それでまっすぐここへきたんじゃ。こないわけにはいかなかったんじゃ。だって、庭がここで待っとったんじゃけんね！」

二人は、以前灰色に見えた壁が、すっかり緑のベールに覆われているのを発見したり、クロッカスの花が固まって咲いているのを発見したりします。そのあまりの愛らしさに、メアリは、思わずその花にかがんでキスをしました。「わたし人間にはこんなふうにキスしないの」と、断りながら。生きとし生けるものすべての生命力に働きかける、春の魔法のなせるわざです。

「術」のかかった場所

庭の中では、あのコマドリが巣づくりを始めていました。神経質そうに辺りをうかがいながら、小枝を運んでいます。それに気づいたディコンは、ハッと体の動きを止めます。「まるで、教会のなかで笑っていたことに急に気がついた、というようでした」。

そして、今、動いたらいけない、ほとんど息もしたらいけない、とメアリに注意を促します。とてつもなく神聖なことが起こっている、というように。じっと見つめているように見えてもいけない、巣づくりが終わるまでは、いつもとまったく違うのだ、(小鳥は)神経が立って、何でも悪くとろうとする、人とおしゃべりしたりする暇なんかはないのだ、自分たちは、彼らに対して、草や木の茂みのようでいなければならない、と。更にこうも付け加えます。巣づくりは世界ができてから、ずっと毎年繰り返される春の大事な行事で、あんまり知りたがると、春は、他の季節より簡単に友達をなくすのだ、と。

そうです。最も大切なことは、こんなにもデリケートで、秘密裡に粛々と進行するのです。この場合、秘密、ということは、排他的であるということではなく、デリカシーを要する命の法則が、十全に働くための「術」を張り巡らすのに必要なことなのです。その術の中では結界が張られ、決してコマドリを脅かすようなことは起こりません。けれど術の影響力の及ばないものが入ってきたら、その結界は簡単に破れてしまいます。例えば、土の中でこそ複雑で重要な働きをするミミズを、外からやってきた何も知らない(つまり「術」にかかっていない)人間が無造作に日の光に晒して台無しにするようなことです。「術」にかかるとは、皆で一つの目的のため、一つのトーンの中で働くことなのだ、ともいえるでしょう。そしてこの場合の一つの目的とは、「生命力を甦らせること」です。「秘密」は、「術」を成立させるための必要不可欠な条件なのです。

これが、この庭が「秘密の」庭でなければならない、最大の理由なのでした。甦生の「術」がかかっている場所なのです。誰かが不用意に、あるいは意識されない悪意をもって「術」を破ったが最後、もう二度と取り返しがつかないのです。育まれつつあった卵を落として割ってしまうように。

そしてまさにここは、メアリとコリンにとっての、神秘の儀式が行われる場所、「秘密の庭」であるのでした。

ディコンは、こんな庭にコリンを連れてきたら、きっと病気は治ってしまう、なんとか二人で周りの人に内緒でコリンを連れてこられないだろうか、と提案します。もちろんそれは、メアリも考えていたことでした。

初めての衝突

メアリは途中で一度、昼食をとるために屋敷に帰ります。大急ぎでしたので、マーサに「庭仕事が忙しくて遊びに行けない」とコリンへの伝言を頼みました。けれど、それが屋敷でどんな大騒ぎを引き起こしているのか、想像もしませんでした。

コリンはメアリが自分をおいて、外へ出かけたというので、すっかり機嫌を損ね、マーサはなだめるのに大変だったのです。マーサからそれを聞くと、

「メアリのくちびるがきゅっとゆがみました。コリンと同じように、メアリもまた人の気持ちを考えることができない子だったので、ごきげんをそこねた男の子に自分のいちばんやりたいことをじゃまされるなんて許せない、と思ったのです。―略―インドにいたときメアリは、自分が頭痛がすれば、かならずほかの人もみんな頭痛か同じような苦痛を味わうように

ふるまいました。それがまちがったことだとは夢にも思いませんでした。けれども今は、もちろん、コリンがまちがっていると思ったのです。」

コリンの部屋へ入るとすぐに、口喧嘩(げんか)が始まりました。「きみは自分勝手だ！」と叫ぶコリンに、「そういう自分はなんだっていうの？」といい返します。けれど、メアリのほうが体力があるので、コリンは次第に劣勢になります。こんなことは、彼にとって初めてのことです。誰かと喧嘩をするのも、また、負けるのも。しまいには自分がかわいそうになって、どうせ、僕なんかそのうち死ぬんだ、と涙を流しながら、いつものように呟きます。さんざん聞かされたこの台詞にうんざりするメアリは、「死ぬもんですか！」と同情のかけらも見せません。コリンは腹を立てますが、はっきりと自分の死を否定してくれたことに、心のどこかでは喜びも感じています。みんなが死ぬっていってるよ、と怒鳴り返すコリンに、人を同情させようとして、得意になってそんなことをいう、とメアリは負けてはいません。最後には、「あなたはいやな子だわ！」と、決めつけるのです。これにはコリンも、「出ていけ！」と叫びます。メアリも、「出ていくわよ—略—もうこないからね！」と切り返し、せっかく、今日、ディコンがキツネとカラスを連れてきたことを話してあげようと思ったのに、と捨て台詞を残して去ります。去り際に、相手が逃したものがどんなに価値のあるものだったのか、ちらりとその影だけ見せて、悔しがらせようとする、無意識の意趣返しです。子どもらしいやりとりです。

部屋を出て行くとき、メアリは、看護婦(師)が立ち聞きして笑っているところを見つけます。

メアリはこの看護婦が好きではありません。そもそも看護婦に向いていない人で、病人の世話が嫌いなのです。何を笑っているの、と訊くメアリに、「あの病気がちで大事にされすぎた坊やにとって、同じぐらい甘やかされただれかが食ってかかるのは、なによりのお薬よ」とハンカチで口を押さえながら笑います。

メアリに厳しいメドロック女史や、コリンが死ぬのを恐れているのか待っているのかわからない医師ですら、しっかり物語の中を生きているのに、この看護婦は、すべてに距離を置き、シニカルな視線で見ています。もちろん積極的に物語を動かす力もなく──つまり端役中の端役なのですが──。けれど、彼女でなければ示せない視点を、ここで読者に示します。つまり、ここは、笑っていい場面なのです！

コリンはその晩、ひどいヒステリーを起こしました。すすり泣きながら悲鳴を上げている、その金切り声の恐ろしさに、メアリは、付き添う大人たちが、これを聞くぐらいならコリンの好き勝手にさせておくほうがいいと思うのも無理はない、と耳をふさぎながら思います。が、震えながらその声を聞いているうちに、メアリはだんだん腹が立ってきました。自分だって癇癪を起こして怖がらせてやる！と決心したりします。そこへ件の看護婦がやってきて、コリンをなだめにきてくれないか、とメアリに頼みます。メアリは、彼はわたしを部屋から追い出したのよ、といって、思い切り足を踏み鳴らすのでした。まるでファイティングポーズです。足踏みするくらいなら大丈夫、と、メアリが怖がって泣いているのではないかと心配していた看護婦は冷静に判断し、「その調子よ─略─さあ、いって、大急ぎでね」と、まるで選手をリングに送り出すセコンドのように力づけます。

叫び声が近づいてくるにつれ、メアリの苛立ちはますます高まり、コリンの部屋へ辿り着く頃には、それは最高潮に達しました。そして、

「ドアをバシッとあけると、部屋を横ぎって、四柱式ベッドにかけよりました。

「やめなさい！」メアリはほとんどさけんでいました。「やめなさいよ！　あなたなんかきらいよ！　みんなあなたのことをきらいよ！　みんなが家から逃げだして、あなたは死ぬまでさけんでいればいいのよ！　そのうち、ほんとにさけび疲れて、死んでしまうわよ、そうなったらいいんだわ！」」

メアリのあまりの剣幕に、コリンは息がつまりそうなほどびっくりします。追い打ちをかけるようにメアリは、もし今度また金切り声をあげたら、私ももっと大きな声で叫んで怖がらせてやる！と、威嚇（いかく）します。

確かにおかしいのです。まるで同じ穴に入ったふたごの竜同士が、最初は爪を立てずに優しく遊んでいたものの、いざ相手に気に食わないことができたら、お互いにそのまったく同じ本性をむき出しにして、互角に火を噴きあって戦っているような、目を瞠らんばかりのスペクタクルなのです。この時代をはるか昔に経験した大人の読者は、思わず噴き出すでしょう。子どもの読者はもっと、ハラハラと息を詰めて読むかもしれません。

作者は、その大人の読者へちょっとした共感のしるしのウインクをするように、この看護婦を配置したのでしょう。彼女の役目は、まさに、この場所に立ち会っている物語の登場人物たちの誰もしえないこと、「ちょっと場面を離れて読者とともにくすくす笑う」ということをするためだけにあるともいえます。

メアリに恫喝(どうかつ)されたコリンは、実はとうとう自分の背中に瘤(こぶ)ができたのだと、涙ながらに訴えます。コリンは幼い頃からずっとそれを恐れて生きてきたのでした。メアリは、コリンの背中を仔細に検証し、そんなもんはどこにもない、と威厳たっぷりに否定します。遠慮会釈もないメアリですが、そのことはまた、コリンにへつらって嘘をいう子ではない、ということの証明でもあります。メアリのその「率直さ」を嫌というほど思い知ったコリンは、この言葉が正直なものであることも直感します。心の底からホッとし、さめざめと大粒の涙をこぼします。

これだけの暴風が吹き荒れた後というのは、人の心の柔らかい場所に何かが通いやすくなっており――つまり、コリンもとうとう「秘密の庭」の術がかかる圏内に入ってきたのだ、今こそそのときなのだと、メアリは無意識に感じ取ったのでしょう、次の日、実は自分はもう、「秘密の庭」の鍵を見つけ、内部に入ったのだ、とコリンに打ち明けます。今まであなたが本当に信頼できるかどうかわからなかったから、秘密にしておいたのだけれど、と(秘密を漏らす、つまり、「術」を破るような質の人間かどうかは、慎重に見極めなければならないのです)。

メアリと同じように、夢にまで見るほど庭に思い入れていたコリンは、深い喜びを持ってこの言葉を聞きます。

屋敷の中に光が入る

コリンはそもそも、とても聡明な子どもでした。ずっと屋敷の中にいて、欲しい本はふんだんに与えられて育ったので、知識も豊富で想像力も豊かです。翌々朝、朝食前に「秘密の庭」へ出かけ、ディコンと一働きしてきたメアリが部屋へ入ってくると、その体に付けてきた「葉っぱのすてきなにおい」に敏感に反応し、「窓をあけて！　もしかすると、黄金のトランペットが聞こえるかもしれないよ！」といいます。コリンの春の感じ方、繊細な感受性が、外界へ向かって花開こうとしているのがわかる場面です。

窓を開けると、「新鮮でやわらかな春の空気とにおいと小鳥の歌声がどっと流れこみ」、コリンは思い切り深呼吸をします。彼の一生で初めてのことです。二人とも食欲を感じ、朝食を一緒にとります。メアリはディコンが連れてきた動物——キツネやカラス、二匹のリス、そして、ディコンが三日前にムアで見つけた、生まれたばかりの子ヒツジのことを話しました。

「メアリが木の下にすわると、子ヒツジはひざのうえにうずくまりました。そのたよりないあたたかさを感じたとき、メアリはふしぎな喜びでいっぱいになって、言葉も出ませんでした。子ヒツジ——子ヒツジ！　ほんものの子ヒツジが、赤ちゃんのようにひざにのっている！」

二人は、カラスや子ヒツジの鳴き声が廊下の向こうから聞こえてくるのに気づきます。その朝はディコンがコリンに会いに来る朝でもありました。

ディコン、光の使徒が、とうとう屋敷の中へ入ってきたのです。しかも、キツネやカラス、リスなどの「生きもの」たち——生命力の化身——を引き連れて。これでもう、コリンの甦生への道筋はつけられたようなものです。コリンはもちろん、ディコンが大好きになります。

三人は、いかにして、秘密裡にことを運ぶか——他人に知られてしまえば、それはすぐにコリンの父親の知るところとなり、コリンが自分自身で元気な姿を父親に見せて驚かせたい、という切なる希望は叶(かな)えられなくなります(が、本当に危惧(きぐ)されるのは他者に知られて「術」が効かなくなることです)——について、幾度も作戦会議を持ちます。残念ながら、翌日からはまた天候が悪く、子どもたちは一週間以上も外へ出るのを待たねばなりませんでした。が、ディコンが毎日のようにやってきて「ムアや小径や生け垣や小川のふちなどで起こっていることを話していったので、気がまぎれました」。この、「小川のふち」というところのデリカシーが、なんだかとてもいい感じです。

三人は、秘密の庭に入るまでの道順について、綿密な計画を練ります。

「[…]コリンはますます、庭の存在が秘密であることが、そのもっとも大きな魅力だと強く感じるようになってきました。なにもそれをそぐようなことがあってはなりません。秘密があることに、だれも気がついてはならないのです。」

そして、いよいよコリンが、車いすをディコンに押され、メアリを傍らに、屋敷を出る日が来ました。

「その日の午後は、世界じゅうが完璧で光りかがやくほど美しく、ひとりの少年への思いやりに満ちているようでした。きっと純粋な神々しいほどのやさしさで春がやってきて、ひとつの場所につめこめるだけのものをつめこんだのでしょう。」

ムアに通じたディコンですら、自分はもうすぐ十三になるが、これほどすごい午後は見たことがない、と目を瞠るほどの美しさです。ゴージャスな春の描写が次々と続きます。そして人知を超えた、不思議な魔法の術は、この一日のうちに、なんと歩けないはずのコリンを、車いすから「立たせる」ことまで成し遂げます。

メアリ、コリン、ベン

それはあの、へそまがりで口の悪い老庭師・ベンが、塀の上から、本来入ることを禁じられている庭に入った侵入者であるメアリを口汚く罵ったことがきっかけになりました。

「はじめて見かけたときゃあ、おまえががまんならんかった」だの、「やせっぽちで黄色い顔した若いあばずれ」だの、メアリに対するその悪口ぶりはひどいものでした。気の弱い女の子なら泣いていたでしょう。以前のメアリなら、癇癪を起こして何をしでかしたかわかりません。けれど、動揺しながらもきちんとベンに対峙して、この庭へ入る道はコマドリが教えてくれたのだと答えます。興奮したベンは、コマドリに罪を押しつけようというのか、と更にわめきますが、メアリは辛抱強く、「道をおしえてくれたのはコマドリよ。―略―だけど、そうやってわたしにげんこつを振りまわすのなら、ここでその話はできないわ」と、冷静に諭します。

そこへ、ディコンに車いすを押してもらったコリンがやってきました。それまで噂話を聞くだけで、本物のコリンを見たことがなかったベンは狼狽し、コリンに向かって、「あなたぁ気の毒なかたわもんじゃ」とか背中や足が曲がっているとか口走るのです。激高したコリンは、ディコンに助けられながらも立ち上がり、「ぼくを見ろ！」と叫ぶのでした。

それは、いってみれば、コリンが、彼の長年の「癇癪」で養ってきた瞬発力を最大限に使った瞬間でした。

考えてみれば、怒り狂うベンを相手にして決して怯むことのないメアリのこの芯の強さも、生まれたときから自分のしたい放題好き勝手に暮らしてきた生活で培われた我の強さが、ポジティヴに転化したものといえるかもしれません。「秘密の庭」の術は、ネガティヴに働いていたところの遺産、つまり「今ある素材」(それがどうしようもなさそうに見えるものであっても)を使って、それをポジティヴに成長させていくことでもあるのでしょう。

前述したように、コリンとベンは、総じていえばメアリの眷属です。この午後の、コリンの「自立」事件は、いわば同じ性質を持つ者同士が激しく衝突した結果の奇跡ともいえます。

そしてこの日以来、ベンもコリンいうところの「秘密の仲間」となって、庭の手入れや、コリンの回復に一役買っていくのでした。ベンは、実は二年前にもこの庭に入って、手入れをしていたんじゃ、と告白します。

メアリは、初めてディコンに出会った折、自分以外誰もこの「庭」のことを気にかけないのだと叫んだことがありましたが、実はこの庭が完全に死に絶えぬよう、最低限の世話をし続けていた者がいたのです。けれど、「自分以外誰も」、といい切ったメアリは、ある意味で正しい。なぜなら、メアリたちがこの庭に辿り着くまで、庭の延命に尽力していた老庭師・ベンは、メアリ自身の分身の一人であったからです。彼はメアリのいう「自分」の中に含まれます。メアリの眷属であればこそ、主人、クレイヴン氏の命令に背いて誰にも知られぬよう、細々とながら、庭の生命線を保ち続けていたのです。いつか来る、主人公たちのために。

コリンの母親の居場所である「青い空」と二人の母

「クレイヴンの奥さまはとってもすてきな方だったんよ。—略—もしかしたら、奥さまは庭にきておられたんかな。もしかしたら、おいらたちが仕事をするようにさせたのも、ぼっちゃんをここにつれてくるようにさせたのも、奥さまかもしれんね。」

これはディコンがこの奇跡の日のことを述べたときの言葉です。

この美しい黄金の午後の描写に、満開のスモモの花が雪のように真っ白に広がり、サクラやリンゴの木も花をつけている、というところがあります。

「天蓋のような花の枝のあいだから、青い空が見え、すばらしい目が見下ろしているようでした。」

この「すばらしい目」は神のものとも考えられますが、この場所の特性を考えると、どうしても、コリンの母親が優しく見下ろしているように感じられます。「青い空」という言葉が、亡くなったコリンの母親を象徴しているように思われてなりません。このすぐ後に、「秘密の仲間」(コリンの言葉)に入ることになった、老庭師のベンも、崇拝するコリンの母親について、

「あの方はこういう花がえろうお好きじゃった―略―いつも青い空に向かって伸びている花がお好きじゃと、よういうておられた。土の上のものを見下してておられたわけじゃない、そんなお方じゃなかった。ただ、空がお好きだっただけじゃ。青い空はいつも喜びに満ちているから、というておられたのう。」

この「秘密の庭」に潜む種々の力の中で、もっとも大きく働いているのが母性の力です。この庭のもともとの持ち主、清らかで気高く、美しくて優しいコリンの母親は、まるで聖女の

ように描かれています。けれど聖性にまで高められた母性は、とても生身でそれを引き受けることはできません。コリンの母親の居場所が「青い空」である、つまりすでに生身の人間ではない、ということには必然性があります。それに対して、土俗性を持つ、懐深い大地の化身のようなディコンの母親、スーザンもまた、母性のもう一つの象徴といえます。

やがて、この庭をスーザンが訪れるときがきます。

「ツタのからんだ塀の扉がそっと押しあけられ、女の人が入ってきました。―略―濃い緑色のツタを背景に、木もれ日を長い青いマントに受けて、女の人がいきいきした表情で新緑の庭の向こうからほほえみかけているところは、コリンの本のなかの淡い色刷りの挿し絵のように見えました。その人は優しい目をしていて、なにもかも――子どもたちはもちろん、ベン・ウェザスタッフや「動物たち」や咲いている花のひとつひとつまで――理解しているように見えました。」

初めて見るコリンの顔が、彼の母親にそっくりなのを見て、スーザンは感動します。メアリもコリンも、スーザンといるとなぜこんなに楽しく、また、温かな、支えられているような気分になるのだろう、と思うのでした。スーザンとの別れ際に、コリンがたまらなくなって、「あなたが、僕のお母さんだったらよかった、ディコンだけの母親ではなくて」というところのいじらしさ、彼の生まれてからそれまでの、母親不在の生活の寂しさや孤独が切々と伝わり、涙ぐんだスーザンは、思わず「かわいいぼうや！」とコリンを抱きしめます。温かで力強く、土の匂いのするような胸の中に、しっかりコリンを抱きしめるのでした。

彼女が初めてコリンやメアリの前に登場するのが、この「秘密の庭」の中であること、そのとき彼女が、「青いマント」を着ているということは、とても示唆的なことです。

「秘密の庭」の内部では、この二つの母性が連携を取り合って働いているように思えてなりません。ディコンの母親、スーザンの母性だけでも無条件に包み込むような温かさがあり、それで十分のように思われますが、土俗的な母性の力強さは、ときに子どもを(意識せず)すっかり支配してしまうなど、ネガティヴにも働くことがあります。けれど、それをコリンの「青い天」なる母親の聖性がうまく牽制(けんせい)して、結果としてとても健やかで豊かな愛情の力がいかんなく発揮されているように思えます。

「青い」マントをはおったスーザンがコリンを抱きしめるとき、その背後には彼の亡くなった母親のスピリットが二重写しになっているかのように感じられます。

秘密の庭で「糧」を得る

コリンの回復は、秘密裡に行われていることでしたので、屋敷の中では今まで通り、コリンは気難しく病弱な男の子を演じなければなりませんでした。けれど、どうしても我慢できないのが「食欲」です。出された食事をあまりきれいに平らげてしまうと、不審の目で見られてしまうので、今まで通り、ほとんど手をつけないか、残さないといけないと思うのですが、どうしても我慢できずに食べてしまうのです。

この難問に、助け船を出したのがスーザンでした。ディコンにいって、自分の家から新鮮な牛乳を桶にいっぱい、そして焼きたてのパンを、毎日「秘密の庭」へ運ぶように計らいます。これは大地の母性の仕事です。

『ハイジ』に出てくるパンとチーズといい、児童文学に出てくる素朴な食べ物は、どうしてこうもおいしそうなのでしょうか。それはきっと、無我夢中で成長しようとしている子どもの食欲が、読み手である私たちにまで働き、「術」をかけるからなのでしょう。その「術」の中で、私たちの内奥にある、ある部分まで、育まれていく感覚を実感するからなのでしょう。


健やかな子どもたちが「秘密の庭」で、屋敷の主人と出会う

コリンは、自分が生まれたとき母親が死んだせいで、父は自分を「ほとんど憎んでいる」のだとずっと思っていました。そして、病弱でいつも寝たきりでみじめな姿をしている息子を情けなく思い、会いたくないのだと。けれど、もしも自分がほかの子と同じように健康で、堂々と歩いているところを見たら、どんなに自分のことを誇りに思ってくれるだろう、とも。その瞬間の実現のために、コリンはこれほど必死で「秘密」を守り、庭の中で自分を鍛えているのでした。

コリンが意図したようにではありませんでしたが、その願いは叶えられます。

十年もの間、傷心のまま長年異国をさすらってきたクレイヴン氏は、あるとき、谷間で「青いワスレナグサ」の群生を見、わけがわからないながら、そのとき「生き返ったような」思いが胸を突き上げるのを感じます。それはちょうど、コリンが初めて秘密の庭に足を踏み入れた黄金の午後、「ぼくは生きるよ、いつまでも、いつまでも！」と叫んだのと同じ時間でした。それから、スーザンの手紙が――とにかく屋敷へ帰ってくるようにとの――届き、また、亡き妻のささやく声――庭にいますよ、と――が聞こえ、などして、急（せ）かされるように帰ってきたクレイヴン氏は、庭へ向かうのです。彼の帰館を知らない子どもたちはそのとき元気よく庭を走り回って遊んでいました。扉を開けようとした彼に、勢い余ってぶつかってきたのは――コリンでした！

この、コリンが庭で父親に出会う、感動的なラストの部分では、ほとんどメアリのことは描写されません。実は、気をつけてみると、コリンが自分の足で初めて立ったあたりから、メアリへの言及は極端に少なくなり、コリンの言動や彼がどう感じたか、ということに焦点が絞られてくるのがわかります。

メアリという少女が主人公であるならば、これはおかしなことです。けれど、もし、この屋敷の結ぼれのような頑（かたく）なさ、「家の抱える悲しみ」が主人公で、メアリとコリンという従姉弟同士の二人が、その顕（あらわ）れとして登場しているとするならば、それは最も自然なことです。

コリンという屋敷の核は、陽の当たらない屋敷の部屋で、がんじがらめになって動けない。彼の「生きようとする本質」は、インドから、彼と同じ質の、けれど彼よりは行動力のある分身を呼んだ。そしてその分身の働きで、陽の光を屋敷の中へ招き入れることができ、庭の甦生までもが実現した（この場合、屋敷と庭というのは、卵の黄身と白身のようなもので、全体で一つの生命体のように見えます）。

そう捉えれば、最後に彼が健やかさを取り戻し、屋敷全体の主人である父親の胸に飛び込むところで終わるのが、物語としては、ごく妥当なことだと思えます。

おわりに
――描かれなかった父親たち、受け継がれていくものと自分だけの庭

私見ですが、児童文学では、このように登場人物それぞれが、ある一つの全体を構成している、それぞれのパーツを生きているように思われます。表には出ないけれども、作品を大きく覆うようにある匿名の個人がいて――その個人は匿名であるがゆえに暗に読者その人にも、抽象的な「人間」あるいは「人類」そのものにもなぞらえることができます――その個人の生活の営みの中で、「生きる力」が全体性を回復していく物語、と読めば、パーツそれぞれの見事な連携と働きに目を瞠る思いをすることがあります。

その筋立てを生かすために大事なことの一つは、必要でないパーツは基本的には書き込まない、ということですし、逆に、なぜそのパートが書き込まれていないかと考えると、その物語のメインテーマが浮き上がってくる気がします。

この物語で、まったく言及されていないのは、メアリとディコンの父親です。

ディコンの父親を書く必要がないのは、君臨する母性としてのスーザンの存在を際立たせるためといえるでしょう。これほど母親のことを語るディコンが、父親については何も口にしません。作品中で、父親が登場する箇所は、マーサの台詞、「うちら十二人もおるのに、お父っつぁんの

一週間のお給金はたった十六シリングなんです。ほんと、おっ母さんはみんなに朝のオートミールを食べさせるのにも苦労してます」の中だけです。それも、一家の経済状態の窮乏ぶりと、その中でいかに母親が苦労しているかを示すために仕方なく父親という言葉を出した、という「しぶしぶ」ぶりです。一人の人間としての父親の個性や生活は窺うべくもありません。この箇所がなければ、読者はスーザンを逞しい寡婦と勘違いするに違いないと思われます。

メアリに至っては、父親のことを、一度も、思い出しすらしていません。母親のことは、物語中たびたび、「母親は素晴らしい美人だったという話なのに、どうしてこの子はこんなに醜いのだろう」というように、母娘の容貌のコントラストのために引き合いに出されることがありましたが、父親についてはそういうことも一切ありません。

よほどこの世での縁が薄かったのでしょう。けれども、この父親こそが、メアリがこの屋敷に来るための鍵になっています。メアリがこの屋敷に来たのは、クレイヴン氏がメアリの後見人となったからであり、なぜクレイヴン氏がメアリの後見人になったかというと、彼の亡くなった妻とメアリの父親が兄妹関係にあったからです。

つまり、父親のおかげでメアリはこの庭と出会えたのです。父親の残した無形の財産を、メアリは最大限に生かして自分を生かす方策を立てた、ともいえるでしょう。

子どもにとって、親というものはこのように、有形であろうが無形であろうが反面教師としてであろうが、その生死のすべてを捧げて何かを残そうとし、人間とは如何なるものかと見せてくれる存在です。それを読み込む自由もまた、子どもに与えられた遺産の一つなのでしょう。

メアリはこの作品で、当初、非常にひねくれた、貧相でみっともない容貌の少女、として描かれていました。不平不満の塊（かたまり）のような子であったのに、不思議に親への恨みは一切表現していませんでした。親を恨むほどのコミュニケーションすらない、薄ら寒いような「虐待」を受けていたともいえるでしょう。

それでも、好むと好まざるとにかかわらず、親からの遺産は否応なく、「動かし難く」引き継いでいます。「爆発的な癇癪」も、おそらくそうであったのでしょう。

徐々に明らかになる、母親似の美しい容姿も。

バーネットがこの作品を書いた当時、このようなことを明確に意識していたかどうかはわかりません。たぶん、していなかったでしょう。けれど、ときに作品は、作家個人の意図と意識を超え――こういう表現が許されるなら――神がかり的に生まれるものであり、読書とは、そういう作品と読み手との間の協働作業（コラボレーション）であるともいえます。時代を超えて永遠に生き続ける作品と、限定された、各々の時代を生きる個人、という、読み手との間の。

そう考えると、本を読む、という作業は、受け身のようでいて、実は非常に創造的な、個性的なものなのだと思われます。それぞれが、それぞれの人生という「庭」をつくる作業にも似ています。すでに自分に与えられてある、「動かし難い」ものを、どう読み込み、解釈し、自分の心象風景にフィードバックさせていくか、というところまで。

この庭は、英国の庭という設定ですので、バラやクロッカス、アイリスにデルフィニウム、オダマキやユリなどという華やかな花を咲かせる植物にあふれていますが、世の中にはもっと、さまざまな庭があります。同じ英国でも、ごつごつした岩だらけのロック・ガーデンだと、ウスユキソウやコマクサなどの比較的地味で希少な花が主体になるでしょう。日本風の苔庭（こけにわ）でも、心落ち着く潤いを得ることができますし、極北の地には短い春に、乾燥した地域には雨期に、花々が満開になる庭をつくることも可能でしょう。

読み手が百人いるとすれば、百の主人公を持つ、百の庭がある。

自分自身という屋敷の奥に、今では顔も名も知らぬ先祖から、脈々と伝えられてきた「秘密の庭」があります。同じくその先祖たちから、十全に使われないまま繰り越されてきた正負さまざまな「遺産」もあります。それらと対峙せざるをえない状況に陥るうち、主人公の世界に、どこからか光が呼び込まれてきます。すると、種から芽が出てくるように、埋められていた「鍵」が──何かの必然で──地表に現れ目に留まる。思わず屈（かが）んでそれを手にとると、呼応するごとく、隠れていた扉にも気づいてしまう。主人公は、どうしても、その扉を開けないわけにはいきません。なぜなら、彼は、あるいは彼女は、その世界の「主人公」なのですから。

足を踏み入れたときの、「本当の故郷」に帰ったような気持ち！　でもそこは冬の様相を呈しており、入った瞬間、あらかじめ決まっていたかのように、主人公は、自分の「なすべき仕事」を悟ります。それは自分の意志でもあり、同時に自分を通してついに何かを実現しようとする、多くの人々の意志なのかもしれません。少なくとも主人公は、おそらく生涯続く、「秘密の庭」

との長い長い「関わり」を――手持ちの「遺産」を使いながら――スタートさせることになるのです。

「自分だけの庭」を、育てるために。

それを、秘密の、花園とするために。

II　物語の場所

「ほろびゆくもの」の行方
――アリエッティの髪留め

［二〇一四年］

庭の植物と土、それが生み出すもの

心臓手術を間近に控えた少年、翔を乗せた車が、東京西部の町並みを走る場面から、この物語は始まる。運転しているのは彼の大叔母、貞子。町の描写が、どこでもいい「背景」ではなく、具体的な、ここでしかありえない「顔」を持った風景であることに(たまたま筆者はその近辺を知っているので、ことさらそれを意識させられるのかもしれないけれど)惹(ひ)きつけられる。護岸工事をしていない、野川を思わせる川を車が渡り、関東ローム層の赤土の切り通しが画面に現れると、それだけで、すっかり心身ともに釘付けになる。ここにしかない、具体性の奥深くにこそ、普遍という地下水の流れがあるのだ、ということをひしひしと感じさせられる。どこでもありうる風景というのは、結局どこにもない風景でしかない、ということも。

切り通しを突き当たったところが貞子の屋敷で、翔の母親が生まれ育った場所でもある。少し湿っていながらぼろぼろとした質感の赤土。そこに木漏れ日が射している。季節がもう少し進み行けば、きっと蟬の抜け殻があちこちに見られるだろう。ホコリタケがぼこぼこ出てくるだろう。オオミズアオが羽化して、昼間の熱気の去った林を、ゆらゆらと白く幻想的に飛ぶだろう。自然観察に興味のあるひとなら、そんなことまで一瞬にして思わせるような導入部だ。理屈抜きに楽しい。

車を降りた翔少年の目で、屋敷の庭が一望される。ところどころアカジソの生える(これは戦争中、一部畑だったことがある庭の名残だろう)、夏場に数度、草を抜く程度の、放ったらかしの庭であろうことが見てとれる。この管理の適度ないい加減さが、小人の住む条件の一つだ。あまりにも隙のない庭には、小人の住む余地がない。

やがて画面にシソの穂をくわえた小さなアリエッティが現れる。背景に描かれている植物の一つはアカザである。未だかつてアカザが、こんなに堂々と画面に現れたことがあっただろうか。実はこの近辺では現在、シロザの方が優勢である。駐車場の隅に生えてくるのはたいていシロザだ。アカザが残っているということは、かなり昔からそのままなりの庭であったということだろう。だが、ここ十年ほどで、あっという間に分布を広げつつある外来種のナガミヒナゲシが、ポピー然として(確かにポピーの一種なのだが)、群落をつくりかけているところを見ると、この庭もまた、時代の趨勢(すうせい)のなかにある、ということなのだろう。後に貞子が呟(つぶや)く台詞から、この家に伝わるドールハウスを継ぐのは翔で四代目、つまりこの家の将来の後継者は翔であることが明らかにされ、翔の命(いのち)そのものも、この庭の存続に大きく関わっていることがわかる。

つまりこの庭自体も、内部から変わりゆく危機に瀕(ひん)している。植物相だけでなく、(相続税などの問題で)常に、更地にされ、小さなこまごまとした建売住宅やマンション、駐車場などに変わっていく脅威にさらされている。人口が増え、住宅難に悩まされる現代では、どれだけ無駄を失くし、利益を得ることができるかが重要な課題とされ、何より効率が最優先されがちになる。こういう庭は、今や風前の灯火の存在なのだ。ゆとりが失われてゆく。そしてゆとりのないところには小人は住めない。

「借り」と「狩り」

小人たちは、自分たちを「借りぐらし」を生業とする一族、と定義し、自覚し、誇りすら持っている。いってみれば、自分の所有物などない、すべてが「借り」てきたものだ。この東洋哲学の気配さえする世界観に、すんなり融け込めるタイプと、まったく相容れないタイプの、二種類が人間に存在する。まったく相容れないタイプの代表が、この屋敷の家政婦、ハルさんだ。ハルさんには、アリエッティ一家が「泥棒小人」にしか見えない。ネズミのように家のものを盗み、害をなすものなのだ。一家の家を「巣」と呼び、アリエッティの母、ホミリーを捕獲した後、まるで昆虫でも捕えたかのように瓶に入れ、ラップで蓋をし、窒息しないように穴を開け、ネズミ駆除サービスに他の小人の捕獲を依頼する。珍しいものだということはわかっているので、それで一儲けできるかもしれない、くらいは考えていただろう。彼女がアリエッティの母、ホミリーを発見し、捕まえようと躍起になっているところは、猫がネズミをいたぶるような、狩りそのものの残虐性を楽しんでいるとしか思えないような有頂天ぶりである。ハルさんは、根っから狩猟欲にとんだ人なのだ。
ハルさん一人が異様なのではない。実は私たちの大多数は「ハルさん性」を有していると思ってまちがいはないのだろうと思う(戦争の現場では、このような狩りの本能が公然と「野放し」にされる状況がつくりだされるのだろう。どんな理屈をつけようが、戦争とは為政者が「ひとに、ひとを、殺させる、状況」をつくるということだ)。ハルさんはまた、希少な動植物を絶滅に追いやってきた人類のカリカチュアでもある。つまり大変重要な登場人物なのだ。
「泥棒なんかじゃありません！　借りぐらしです！」という台詞は、ハルさんのことば「泥棒小人」を繰り返した貞子に向かって翔が発したものだ。翔はハルさんとは対照的な、「借りぐらし」の意味がわかる「人間」なのだった。

「見る」・「見られる」

初めての「借り」に出かけるアリエッティは、何もかも学びたい意欲で満々だ。父親のポッドは勇み足のアリエッティを落ち着かせつつ、必要な知識を与える。初めて床上の世界、つまり人間の住まいを見たアリエッティの視点で、台所が画面に現れる。音の響きや、やかん等、ものそのものの大きさが、実に圧倒的。「サイズ」が違うということが、世界と「自分の存在そのもの」との関係において、侮れない意味を持つことを考えさせられる(ヒールの高い靴をはいただけで世界を見る視点が変わることに新鮮な驚きを持つように)。この違いが、思考や「気分」に、影響を与えないわけがない。

そうやって新しい世界を「見」ていたアリエッティは、突然自分が「見られ」ていることに気づく。ティッシュの陰に隠れようとするものの、どうしていいのかわからず崩れ落ちるようにしゃがみ込む。ここまで内面の動揺を露にするのは、本来危機的な状況であればあるほど毅然とする質のアリエッティには珍しいことだ。もしも翔が、歴然と危害を及ぼそうとしていたのなら、彼女は即座に対応し、とるべき行動をとっただろう。翔の視線は、ハルさんのように攻撃的でも暴力的でもない。けれど、「侵入的」なのだ。それは彼女にとって、わかりやすい外部だけの問題ではすまされない脅威である。そこにたじろいでしまう。

出会う

翔にとっては真夜中の、夢か現(うつつ)かわからない茫洋とした状態のなかでの「出会い」である。もしかしたら、これから起こることはすべて、翔の夢のなかで起こったことなのかもしれない。そう考えることが可能なのは、ラストが、これから(現実世界が)始まることを予感させる、夜明けの「出会い」のシーンで終わっているからだ。

翔という、ただじっと静かに迫り来る死を見つめているような少年の存在は、人類という、「滅び」を目前にした瀕死の種族の代表のようにも思わせる。翔は文字通り自分の生死をかけた心臓の手術を目前にして、偶然目にした「小さな人」を守りたいと強く思う。

瀕死の人類が、何か大切なものを守りきれるのか、という課題。

サイズの違い

翔は小人たちのために、差し当たって家の宝であるドールハウスの台所をプレゼントしようとする。大叔母・貞子が、これは翔の曽祖父が、「小人たちのために」職人につくらせたのだということばで、思いついたのだろう。しかし、善意から出た思いつきの行動は、ときに思いもよらない結果を引き出す。野生動物に餌を与え続けた結果、人間への過度の依存を招くように。自然のコンテキストに、無闇に人間が介入しようとするとちぐはぐになるのだ(しかし今という時代はむしろ、ある程度の計画的な介入がなければ、もっと悲惨な事態になりかねないのかもしれない)。

おそらくは、翔のセンシティヴな手つきでなされたであろう、「台所の設置」も、小人世界のスケールにあっては、とんでもない荒事の大変革だ。裁縫をしていたホミリーにとっては文字通り青天の霹靂。突然天井が取り払われ、大きな手で流し一式が引き抜かれ、一瞬にして新しい什器類ごと代わりのものが据え置かれたのだから。

家中を揺るがす大音響に、何が起こったかとポッドとアリエッティも台所へ行こうとするが、新しい造作が加わったせいで、微妙な荷重バランスに狂いが生じドアが開かない(これはとても示唆的だ)。やっとの思いでドアを破って台所へ入り、呆然とする。ポッドが一生かけて「借り」を続けても、手に入れられないくらいの贅沢(ぜいたく)な調度が忽然と現れたのだ。とりあえずホミリーが無事なのは良かった。この変化をもたらしたものが、あからさまな害意を持っているわけではないこともわかる。だが吉凶を越えたこのただならなさは、「小人の日常」のものではない。「わた

しこういう台所　夢に見てたの……」と呟くホミリーでさえ、起こった事態に戸惑いを隠せない。翔は小人たちが大喜びすると思ったのだろう。サイズが違えば、ものごとの認識もことごとくずれてしまう。借りぐらしの小人は、「借り」をして生活しているのであって、一方的に恵んでもらう境涯をよしとしない。

私たちもみな(小人との間にあるほどの明確なものではないけれど)、それぞれサイズが違い、それぞれ違うスケールで生きている。当人にとってはさりげない言動が、ある人にはひどく細やかさを欠いた致命的なものになることがありうる。みんな違うのだけれども、そんなことをいちいち気にしていては効率も悪いし、世の中は回っていかない。ともかくも架空の平均値なるものを叩き出して、それを目安に世間は動いている。それがいわゆる「常識」といわれるものだが、そもそもほんとうはそんなものは存在しないのだから、それぞれの考える「常識」だって、一定ではない。

人の世とは、その、それぞれ違う「常識」が火花を散らす野外演舞場、もしくは騎馬戦が繰り広げられるグラウンドのようなものだ。それを楽しむゆとりを失くし、本気になって相手を潰し合うことになると、グラウンド自体が滅亡してしまう。そもそもサイズの違いは驚き合って楽しむもので、糾弾し合うものではないのだろう。だがハルさん性を野放しにしていると、自然にそうなってしまう。所詮そういうものとして諦めるのか。それともその辺りのノウハウを本気になって成熟させる段階に、人類は入っているのか。間に合うのか。

独りよがりにいいことをしたと思っている男の子の見当違いを正し、「何が起こったのか」をきちんと伝えなければ。アリエッティは翔に会いにいく。

だが遅かれ早かれ、理由は何であれ、アリエッティの側から、翔と「出会い直す」ことをしなければならなかったのだ。あのみっともない出会い(アリエッティにとっては)のままで、関係性を固定させるわけにはいかない。一度それを試みたが、真正面から対面して、というわけにはいかなかった。名まえを名乗るのが精一杯だった。だが今度は本気で腹を立てている。こうなった以上、正々堂々と、太陽の下で、自分の意志で、自分のイニシアチヴで出会いたい。そういう娘なのである。

草花の咲き乱れる庭の、あふれる光のなかで、翔と対等に見つめ合うアリエッティは、決してたじろがない。翔は再びの出会いを喜ぶものの、自分の厚意がもとで、結局小人を追いやるはめになったと知り、落胆のあまり、シニカルに「きみたちはほろびゆく種族なんだよ」とアリエッティにいう。アリエッティはさすがに動揺を隠せないが、そういう運命、といわれて、思わず顔を上げ、息を吸い込む。それは違う、と叫ばずにはいられない。たとえそうであっても、

「わたしたちは　そうかんたんに　ほろびたりしないわ!」

ここはまるでひとりの「ひと」の内界を見るようである。その「ひと」は人類の未来を楽観視できない。それでも必死になって生きる姿勢について考える。翔のエネルギーのなさは、疲れ果て、絶望した「ひと」そのものだ。やることなすこと、結局「小人」を絶滅に追いやる方に動い

てしまう。これは動かしようのない運命なのか。心臓さえ、動きを止めそうだ。エネルギーが必要なのだ。凜々しく力強く、歩むべき道筋を指し示すアリエッティが。

そこへホミリーの悲鳴が聞こえ、アリエッティは母親が囚われの身になったことを知る。翔に助けを求め、二人でホミリー救出に力を合わせる。生き生きと、体いっぱい使ってカーテンを攀じ登り、窓の鍵を開けるアリエッティ。目を瞠る翔まで生き生きとして見え、本当にうれしそうだ。共同作業のなか、アリエッティの躍動する生命力が、翔の生きる力に影響を与えていくのがわかる。

狩るもの・狩られるもの

ハルさんは狩人の質、というようなことを前述したが、「狩りたい本能」が暴走するテーマは、実は冒頭から表れている。翔が初めて覗いた屋敷の庭では、日向でのんびり昼寝をしている猫のニーヤが、カラスの襲撃を受けていた。果敢にそれを撃退したニーヤも、今度は小さなアリエッティに照準を定めて襲いかかろうとする。アリエッティはまた、翔の部屋を訪れたときカラスの襲撃も受けている。

この、狩るもの・狩られるものの関係性が変容するのが、いよいよアリエッティたちが引っ越すという場面、アリエッティが翔へのことづけを託すようにニーヤと向かいあったときである。アリエッティは自分を狙い続けてきたニーヤに、ずっと親近感を抱いていたのだ。ニーヤはすべて察して、翔をアリエッティのもとへ導く。そもそも、一番最初に翔にアリエッティの存在を教えたのはこのニーヤであった。アカジソの茂みに何かいる、と、それとなく翔に注意を促したのだ。

狩る・狩られるという関係性に内在する、殺し合いだけではない可能性を、この男気あふれるニーヤは示しているのだった。

さて、この屋敷の家族で、「小人を見る」ことのできた人間というのは、翔の曽祖父、翔の母親、そして翔(翔は、この家系のなかでも「小人を見る」ことのできる血筋なのだろう)である。貞子は小人の存在を願っていながら、この歳になるまで見ることができていない。ドールハウスの台所に残されたポットの中に、小人たちが楽しんだハーブティーの痕跡を確認した彼女の満ち足りた表情は、穏やかな平和を愛する洗練された趣味を物語っている。にもかかわらず、彼女には小人が見えない。

ここで特筆すべきは、小人を見た人間が、しかも過去にも見た、と断言する人間が一人いるということである。それが、貞子と対照的に狩猟欲にとんだハルさんだということは、とても興味深いことだ。これもまた、狩る・狩られるという関係性の奥深さを物語っているのではないだろうか。少なくとも、貞子と小人たちにはない回路が、ハルさんと小人たちの間にはあるのである。

ツール

全篇を通して楽しいのは、小人たちが人間から「借り」てきたものを工夫して生かしていく知恵である。灰皿をバスタブにしていたり、紅茶缶を簞笥にリニューアルしていたり……等々。ポッドが両面テープを両手足につけて垂直移動しているさまは見ているだけで胸が躍る。アリエッティの初めての「借り」の獲物は、落ちていた「待ち針」だ。まるでフェンシングの剣のように、彼女はそれを持って構えるけれども、収める「鞘」は？と心配するうち、彼女は自分の服の腰部分に刺してしまう。そう、「待ち針」なのだから、刺せばいいのだ。

与えられたものをいかに生かして使うか。

それが生物の生きる基本原理なのだろう。大抵の生物は、まず太陽の光を生かすことから生を成り立たせていっているし、その恵みでできたものを再利用している。借りぐらしなのだ。一日働いて糧を得て、気分よく休息する――小人たちの生活である。

アリエッティから引っ越すことを知らされたとき、翔は、「守ってあげられたらと思ったんだけど……やっぱりダメだった〔…〕」と呟くが、最後の別れのシーンでは、「守ってくれてうれしかった」とアリエッティから礼をいわれる。翔は小人たちを守ることができたのだ。

このとき、アリエッティが翔に渡すのは、自身が髪留めのツールとして使っていたクリップである。アリエッティがこれを使って髪をまとめるときは、これから真剣勝負の心持ちで命がけで活動しなければならない、と意を決するときであった。生命力が輝く、そんなときであったのだ。まるでそういうスイッチを入れるための部品のように、翔は手のひらにそのクリップを受け取る。これから受ける手術はこれを心臓に埋め込むためのものといえるだろう。心臓を、オンにして、生きるエネルギーを得るために。

「アリエッティ　きみはぼくの心臓の一部だ」

自分の心臓の一部にすることで、翔は、完璧に小人を守り得るのである。長い夜は終わり、日は昇り、翔の人生が始まる。

「わたしたちは　そうかんたんに　ほろびたりしない」

人類がそう遠くない将来、滅亡に至るだろうことは、多くの人が予感している。そうであったとしても、そこに至るまでにはありとあらゆる道があるだろう。最後まで自暴自棄に陥らずに、最善の道を探ることを諦めない——もう、そのことによってしか、被造物である私たちの精神（スピリット）が生き延びる術（すべ）はない。

アリエッティの髪留めは、私たちに差し出されている。

木かげの家の小人たち

［一九九八年］

異文化との出会い

「ケヤキの下の西洋館風の家」に住む森山家の当主、達夫は、子どもの頃、帰国する英国婦人から、英国生まれの小人たちを預かる。以来三十年間、小人の世話は代々の森山家の子どもの仕事だった。

本書（『木かげの家の小人たち』中央公論社、一九五九年、福音館書店、一九六七年）の主人公、末っ子のゆりの代になって戦争が始まり、彼女は小人たちを連れて、野尻湖畔の祖父母の住んでいた家へ疎開することになる。作者はわざわざその直前に祖父母を死なせ、ゆりとは遠縁の、ほとんど行き来のなかった老婦人二人をその家に住まわせている。ここは単に、ゆりが田舎の祖父母のもとへ預けられる、という設定でも無理はなかった。むしろその方が自然である。だが実際、ゆりをひきとったのが森山家の祖父母であったら、ゆりが経験したような衝撃的なカルチャーショックは望めなかっただろう。

物語にうまく馴染(なじ)ませてあるので看過されやすいが、少女が、見知らぬ老婦人たちの家にひきとられる、というのは実は欧米の児童文学の基本パターンにある。いぬいがこの物語を書いた時点では『少女パレアナ』『赤毛のアン』『かわいいエミリー』などがそうだ。しかしこれらは、主人公の圧倒的な個性が、頑なでどちらかというと偏狭な老婦人たちの心を次第に捉え、変えていく物語だ。アメリカ、カナダ等の開拓者の国の、「若い力が世界を変えていく」社会で生み出された。

ゆりにはそういう「圧倒的な個性」はない。代わりに日本の農村の厳しさに圧倒される。ゆりの東京の家では「どんなにつまらないたべものでも、―略―ゆりのおかあさまの工夫の手がかかっていた」。そのことは、物資的に貧しくなったとはいえ、森山家の西洋風の精神の豊かさを象徴している。日本の農村の決定的な貧しさは、そんな甘さを許さない。ゆりは身をもってそのことを体験する。

ゆりの疎開先を再訪した長兄の哲が、周りに誰もいないと思っていた山の道で、「お国のために」闘うことの愚かしさを、同年輩の女性の克子に声高に話す場面がある。そのことで、妹のゆりの生活は一層苛酷なものになる。誰もいないと思われていたが、実はそこかしこで山仕事をしていた村人たちの耳に、一言残らず聞こえていたのである。息が詰まるような田舎の人間関係を実によく象徴している。細い根が張り巡らされている、何一つ漏らさぬように。

しかし、それは同時に、土から直接生えているような堅固な安定性、どんな「揺さぶり」にあっても変わらない確かさと表裏一体のものだ。森山家の豊かな精神文化の中で育まれながらも、ひ弱な都会っ子だったゆりは徐々にその強さを身につけていく(このことは、森山家の書庫の片隅で、安全を保証されながらも一歩もその部屋を出ることのなかった小人たちが後に自然の中で自活していくのとパラレルになっている)。

しかも、小人たちを守りながら。

守り抜く

実際、この物語は大事なものをいかに「守り抜く」かという問いかけに貫かれている。当主の達夫は、戦時下において、自分の是とする思想を「守り抜く」ために刑務所で闘っている。ゆりは、小人たちを「守り抜く」ために、病床で命をかけて自分自身を相手に壮絶に闘う。食糧難の中、弱り果てたゆりの身体はミルクしか受け付けようとしない。しかし、そのミルクは小人たちを養う唯一の糧でもあるのだ。

闘っているのは、戦場にいる兵士ばかりではない。哲のファシズム批判はそのまま、作者のいぬいの思いであろう。

いぬいのこの思想性は、作品の奥行きを深くはしていても、児童文学の節度は崩していない。決してその向こうに広がる観念の迷路へとなだれこまない。ぎりぎりの一線で踏みとどまる、その瞬間走る緊張に児童文学の香気は馥郁(ふくいく)と漂う。

異文化との融合

しかし、ゆりの精神力はついに力尽き、若い体の生きようとする力に負け、ミルクを飲んでしまう。小人たちは、ゆりのもとを去る。ゆりを見舞った克子はゆりの様子を見て、気味が悪くなる。「ゆりのように小さな女の子がこんなにひとりぼっちで、こんなに絶望しきっているようすは、ただごとではない」と思う。もはや何もかも破滅かと思われた。しかし、真の再生の仕事は実はそこからしか始まらない。

悲痛な思いでゆりのもとを去った小人たちは、アマネジャキと出会い、日本の精神の古巣のような祠(ほこら)の中で、西洋文化の象徴のようなチーズ等の食糧を発見する。

アマネジャキとの付き合い方も最初はまったくわからなかった。ちょっとしたコツが必要なのだ。異なる文化背景を持つ相手とつきあうには。一度学習すればすむことだ。そのてまひまを疎んで、その後の豊かな関係性を放棄するのは惜しいことだ。異文化が自分の中に取り込まれるか否かは、その最初の反発の処理の仕方で決まる。ゆりも小人たちもそれを見事にやってのけた。

物語の最後は、ずっと世間から隔絶され、天井に近い洋書に囲まれた片隅で生きていた(つまり日本社会の現実とほとんど交わっていない)英国の小人の子どもたちが、日本古来の土着の小人であるアマネジャキとしっかり手をとり、日本の土の上で生きる決意をする場面で終わっている。異文化であった西洋を、本当に根付かせたのだ。

今のように心理学関係の書物が氾濫するずっと以前に、いぬいはこのシンボリカルなラストに一人到達していた。

この物語には、反戦への思いが、異文化との融合が、自分の信じるものを「守り抜く」ことを機軸にして、コンパクトな種のように凝縮されている。退き際を心得た良質の児童文学には、若い心の「土」に降りた途端すぐに根を張る力が充溢している。

異文化を吸収し、しかも決して譲れぬ大事なものは守り抜く――一九五九年、いぬいとみこの埋め込んだその種は、日本中のあちこちで芽吹き、今、中堅層の若木となり、日本の良識を支えている。やがてその若木があらゆる場所で森をなすだろう。その森が、最終的に日本を、そして世界を、「守り抜く」要となるに違いない。

「深く関わっていける」資質

［二〇一八年］

本書（『プーと私』河出文庫、二〇一八年）は石井桃子の独白ともいえるエッセイ群を編んだものだが、読後改めて、「クマのプーさん」と「ピーター・ラビットの絵本」が、彼女にとって特別の作品であったことを、ひしひしと感じている。

「プーさん」との出会いが最初からいかに運命的であったかは後半で取り上げるが、それに比べて一筋縄ではいかなかったらしいポター作品とその作者との「付き合い」が印象深い。「ピーター・ラビット」に出会った当初、彼女は「さらっとしたお話」だと思ってほとんど気にも留めなかった。だがそれはやがて「気がかりな、こわい本」になる。ビアトリクス・ポター本人にも複雑な惹かれ方をしていく。所収の「ニア・ソーリーまいり」では、ポター作品やポター本人を「訳すのに苦手」だといっている。「きらいとか、すきとかいうこととは、全然関係がな」くそうだというのだから、向き合うのが苦手だったのだろう。それはつまり、本当は似た資質の持ち主だったからではないか。

ビアトリクス・ポターは晩年農場経営に手腕を発揮し、湖水地方の土地を次々と買い入れてナショナル・トラストに寄付する(その甲斐あって、今の湖水地方の景観が守られた)。石井桃子も戦中から戦後にかけて宮城県の山奥に移住し、自ら鍬を持って開拓、翻訳などで得た印税をその農場経営や協同組合につぎ込んでいる。土や家畜相手の労働、ということに掛け値なしの価値を認める人は珍しくないが、主体としてその労働のなかに身を投じていける人間はそう多くはない。そしてその「深く関わっていける」資質が、創作の際、選ぶ言葉にも反映されていく。石井桃子が苦手としながらもどんどんポターに傾倒していったのは、ミルンに対してと同様、運命的なものだったのだろう。

さて、本書後半に、続きの章で収められている「ビリー」と「ビル」は同一人物、読めばそれぞれ同じ思い出について書いてあるのだということがわかる。前者はその思い出の元になった出来事から一年目、後者は二十年目に執筆されている。だが同じ思い出で、書いている本人も同じでありながら、細部は大きく違う。

紅葉の季節、ニューイングランドの小さな町で、知人の甥夫婦の家に宿泊させてもらうことになった石井桃子は、そこの家の末の男の子と親しくなる。迎える初めての朝、朝食をとる予定の七時近くになると、石井の部屋の前の廊下を小さな足音が行ったり来たりし始める。果たして七時になると、「ビリー」(一年目)の方では、石井が「おはいり」と声をかけるとすぐに入ってきてぶっきらぼうに「おきる時間」といったことになっているのだが、「ビル」(二十年目)では、ドアノブがかちゃかちゃいって、小さい声で「おきる時間、おきる時間」とささやく(なんとも可愛らしい)。もっと大きな違いは、「ビリー」での石井はそれから、自分の身支度をすませ、彼といろんな話をしながら折り紙のツルを折ってあげる。一方、「ビル」の方では、石井はベッドのなかから「おはいりなさい」といい、入ってきたビルの体が(寒い廊下をうろついていたせいで)すっかり冷え切っているのを不憫(ふびん)に思って、「私は、彼を自分のわきに寝かせ、あたためてやりながら、この小さい子を相手に会話の勉強をした。」まるで、母親か祖母が、生まれたときから知っている愛し子に接するそれのように、冷たくなった彼の体を自分の体温で温めた、というのだ。これが石井桃子だ、と思う。一年目では、まだそこを書くのにためらいがあったのだろう。しかし二十年目では、なんだかもう確信犯のように、さらりとそのことを書いている。この二十年間に何があったのだろう。

そもそも、石井桃子が児童文学に大きく開かれることになったきっかけは、本書のタイトルにもなっているエッセイに、詳しく述べられている、犬養邸での、*The House at Pooh Corner* との出会いである。その出会いで彼女は、「その時、私の上に、あとにも先にも、味わったことのない、ふしぎなことがおこった。私は、プーという、さし絵で見ると、クマとブタの合の子のようにも見える生きものといっしょに、一種、不可思議な世界にはいりこんでいった。それは、ほんとうに、肉体的に感じられたもので、体温とおなじか、それよりちょっとあたたかい**もや**をかきわけるような、やわらかい**とばり**をおしひらくような気もちであった。」

母子間に色濃くあるような一体感、性的な意味合いを超えた、ある種のエロスの向こうに広がる世界――とばりの向こうはそういう世界であったのだろうか。

さらさらした金髪の五歳の男の子、「おきる時間、おきる時間」と小さくささやく男の子は、まさしくプーの世界の住人、クリストファー・ロビンのように思われたのではないか。そのクリストファー・ロビンを、自分の寝床に思わず引き入れて、母鳥が雛（ひな）を温めるように温めた、その比類なき幸福感を、石井は最初、世間に向けてうまく説明することができずにいたのではないだろうか。それでありのままに書くことをためらったのかもしれない。しかしこの理屈なきエロスを通してやってくる圧倒的な生命力、これこそが児童文学の持つ力だと、かつら文庫での活動を通すうち、彼女は確信するに至ったのだろう。それがその後の「ビル」となったのではなかろうか。翻って、たとえ「ビリー」の方が現実に起こったことなのだとしても、この間（かん）の年月で、石井のなかで思い出が「ビル」に変わっていくほど、その「エロス」への肯定感が強まっていったということだろう。（かつら文庫の開設は一九五八年。その四年後には雑誌『母の友』で「わが友ビル」という、これもまた同じ題材のエッセイを書いているが、このときにはもう、「〔…〕おとなしく私のベッドにはいって、しばらく一しょに寝て」という表現になっている）

石井桃子も人間である限り完璧ではない。試行錯誤も迷いもあっただろう。にもかかわらず、その名前は――ずいぶん早くから――批判や反論を寄せ付けない「児童文学の神様」のように扱われてきた（この手のエロスの前には、日本人の批判精神は全面降伏するのだ）。その「扱われ方」の良し悪しは別として、そういう土壌が、空気が、作られてきたことは事実である。それは結局のところ、「あたたかいもやをかきわけ」、「やわらかいとばりをおしひら」いた向こうの世界への番人として、また守り手として、彼女ほどたくましく雄々しく、頼り甲斐のある人物はもう二度と出ないであろうことを、私たちが心のどこかで悟っていたからであろう。

いとしのクレメンタイン、いとしのエリザベス

［二〇〇八年］

今年は『赤毛のアン』出版百周年の年に当たるのだそうである。私が最初にこのシリーズを読み始めたのは、今から三十数年前になるが、その当時、モンゴメリがリアルタイムでこの小説を書いていた時代に生半可でない郷愁を抱き、六十数年というときの隔たりが、絶望的な障壁のように思えていたのを覚えている。

だがこの歳になって、それが百年前、と聞かされると、え？　たった？　という感じがするのは、その間に私の中で起こった、二、三十年前などつい昨日のことのよう、という時間感覚の変化のせいだろう。だが、歳を重ねても、相変わらずあの時代に郷愁を感じるときがある。それは「いとしのクレメンタイン」という曲を耳にするときだ。

「赤毛のアン」シリーズで、アンが魅力的なのはいうまでもないことだが、負けず劣らず心に残るのは、アンの生活に絡んでくる個性豊かな登場人物たちである。

シリーズの第五巻、『アンの幸福』に、「小さなエリザベス」と呼ばれる少女が出てくる。厳格

な曽祖母と底意地の悪い侍女に(隣家の家政婦・レベッカ・デューによれば)「二匹の猫がねずみを見張るように」育てられている。曽祖母の孫娘であるエリザベスの母親は、エリザベスの誕生とともに亡くなっていた。アメリカ人である父親は、勤務する会社のパリ支店へ赴任が決まると同時に、生まれたばかりのエリザベスを亡き妻の実家である曽祖母のもとへ預けたのだった。

小さなエリザベスは、レベッカの働く家に下宿している高校長のアン先生と会えることを唯一の楽しみにしている。この笑い顔を見せたことのない、けれど驚くべき繊細な感受性と想像力をもった、もの悲しげな青白い子の日常を、アン先生ことアン・シャーリーはなんとか幸せなものにしてやりたいと願う。小さなエリザベスはいつか「明日」がやってくるのだと信じている。そこは願っていたことが何でも起こりうる、希望の国である。

実の母親が、その子の出産後、日をおかずして亡くなり、その子は祖父母、あるいはそれと同程度に歳の離れた親族に預けられる、という設定は、モンゴメリの作品の中に時折出てくるが、そういう登場人物は、モンゴメリの分身のような存在に思える。モンゴメリ自身の境遇もまた、そうであった。父親は島を出て海の向こう、西部で生活している。モンゴメリは父親を崇拝しており、彼が迎えに来て共に住むことを夢見る。一年だけそれがかなったものの、歳の近い義理の母親とそりが合わず、結局また島の祖父母のところへ戻ることになる。

モンゴメリの中には、終生小さなエリザベスがいたのだろう。もの悲しげな青白い子。日光というより月光。妖精の国の地図を大事に持っている。いつか「明日」がやってきて、光にあふれた父親が海の向こう、西方から自分を迎えにやってくる……。

『アンの幸福』の最後の部分で、小さなエリザベスはついに恋い焦がれていた父親と出会う。さらにずっと後の巻で、確か大人になったエリザベスは、ポール・アーヴィング（アヴォンリーで教師をしていた時代のアン・シャーリーの、秘蔵っ子であった）と結婚したように思っていたが、今、探してもどの巻だったか、その箇所が見つからない。まさかまたいつの間にか自分が無意識に捏造したことなのだろうか……。

ここまで書いて、編集部に原稿を見せると、私と同じようにアンシリーズを読破した編集長は、そんな箇所の記憶はないという。さっそくあちこちに訊いてみてくれたが、やはり、皆、首をひねっているとのことだ。いよいよ私の頭が知らない間に勝手に作ったストーリーの可能性が高くなってきた。何ということだろう。けれど、私自身は、弁解がましいがこの短絡をさもありなんと思うのだ。

ポールはモンゴメリの掌中の珠といっていいくらい、作者の愛情をいっぱいに浴びた少年で、素晴らしい詩の才能ととてつもなく飛躍する想像力の持ち主である。小さなエリザベスもそうだが、詩の才能や想像力があると書かれているということは、モンゴメリにとってその登場人物にはかなり思い入れがあるという徴である。

私にとってポールとエリザベスの結婚は、いわばプリンスとプリンセスの結婚で（細部のリアリティに味わいのあるモンゴメリ作品だが、ロマンスに関してはときどき鷹揚なところを見せるので）、二人の運命かくあれかし、といったモードになっていたのだろう。

ところでこのポールもまた、幼いころ母をなくし、祖母に引き取られて厳しいしつけを受けていた。作者・モンゴメリはポールのもとへもまた、彼が夢にまで見た父親を迎えに行かせるのだ。繰り返し出てくるこのパターンには切なくなる。モンゴメリ自身のもとへ、父親が迎えに来ることはついぞなかった。


だが小さなエリザベスは、まだこの時点では、アン先生に会うだけが楽しみの、つらい日々を送っている。あるとき、奇跡的に曽祖母の許可を得、アン先生の故郷、グリン・ゲイブルスで二週間の休暇を過ごす。エリザベスにとっては毎日が「明日」の国そのもののような生活だ。皆が彼女を愛し、彼女も皆を愛した。これがエリザベスだろうか、と思われるような、大きな声で笑うことも覚えた。薔薇のつぼみが咲き誇っていくように、自由で闊達な生活を心から楽しんだ。帰るとき、もちろん彼女は悲しむのだが、グリン・ゲイブルスの住人たちの心の中にも、小妖精のようなかわいいエリザベスの思い出はいつまでも消えない。

「薄暗い樅のあいだでひとり歌をうたう小さなエリザベス」、「台所の長椅子の上にまるくなり、野ばらのように頰を赤くし、愛らしく午睡をたのしむ小さなエリザベス」、等々、〇〇している小さなエリザベス、という記述が二ページにもわたって続く。モンゴメリの筆は、いつにもましてノスタルジックで切なく、愛情と追憶に満ちている。読んでいるうちに、小さなエリザベスへ、というより、帰らない時代への郷愁で胸がいっぱいになる。その記述の中に、『クレメンタイン』を歌うことをおぼえ、いたるところで「蓋のない鯡の箱」と歌いまくる小さなエリザベス」、というのがあった。ここの箇所を初めて読んだのは、三十年ほど前だったが、その歌なら知っている、と遥か昔のアンの時代がリアルに感じられた喜びに浸った。日本では「雪山讃歌」として有名な歌であるが、私は小さい頃から洋画でも聞き馴染んでおり、個人的にも郷愁を感じる歌だった。それにしても、「蓋のない鯡の箱」なんて、小さなエリザベスは英語でどう歌ったのだろう、とその喜びの勢いで調べたこともある。

「いとしのクレメンタイン」の英語の原詩は、一八四九年のゴールドラッシュで、西部に渡った金鉱掘りの父について行ったクレメンタインという少女が、川に落ちておぼれ死ぬという悲惨な内容だった。妖精のように可憐なクレメンタインだが、足だけは大きくて、彼女がサンダル代わりに履いていた、というのがその「蓋のない鯡の箱」だった。クレメンタインの死後、やつれた父親はやがてクレメンタインのもとへ旅立つ。

たとえそういう最期を遂げたにしても、父親からそれほど愛され、亡くなったことを悲しまれるのであれば、作者・モンゴメリは激しくその運命を羨んだはずなのである。彼女はそういうドラマティックな悲劇に焦がれる性質だった。

　小さなエリザベスも幼い頃のモンゴメリも、衣服や食物に不自由することはなかった。二人とも、近隣の子どもが羨む、ボタンで留める仔山羊の革の美しい靴も持っていた。ただ愛情だけが決定的に不足していた。

小さなエリザベスは、自身は美しく上品な靴を履きながら、「蓋のない鮴の箱」をサンダル代わりに履いていたクレメンタインのことを、どう思っていただろうか。父親と離れることなく、遠く西部まで連れていかれ、死後も父といっしょにいるクレメンタインのことを。

「いとしのクレメンタイン」はそうでなくても澄んだ悲しみが底に沈む、明るい哀愁に満ちた歌である。この歌を聞くたび、また口ずさむたび、グリン・ゲイブルスの丘の上で、遠く海の方を見つめながら『クレメンタイン』を歌う小さなエリザベスの姿が、そして幼いモンゴメリが、思われてならない。

「赤毛のアン」の現在

本書(『こんにちは　アン』新潮文庫、二〇〇八年)は、『赤毛のアン』出版百周年の企画として、「赤毛のアン」シリーズの作者モンゴメリの子孫から委託を受けた地元ノヴァスコシア出身の小説家バッジ・ウィルソンが、グリン・ゲイブルスに来る前のアンの生活を書き綴(つづ)ったものである。「赤毛のアン」の読者、ことに村岡花子訳で同書に親しまれてきた方々は、読み終わって複雑な思いをかみしめておられることだろう。(当然のことながら)これはモンゴメリのアンではない。バッジ・ウィルソンが「自分の創作」として書いたものである。

だがはからずも、この百年で私たちが何を失い、何を得て来たのかがはっきりとした気がする。そして「村岡花子訳」というものがいったい何を私たちに「保証」してきたのか、ということも。

モンゴメリと村岡花子、そしてアンは私にとって昔から馴染んできた思い入れのある人々である。彼女たち自身と彼女たちが作り上げてきた世界のこと、そしてそこから本作を俯瞰(ふかん)するよう

［二〇〇八年］

な形で書かせていただき、「解説」の代わりとさせていただこうと思う。

日本ほど「赤毛のアン」を好む読者が大勢いる国は珍しい。「赤毛のアン」と聞いて、日本人の大方が真っ先に思い浮かべるのは、白いエプロンをつけ、髪を三つ編みにし、麦藁帽子を被ったそばかすだらけのカントリーガールのイメージだろう。さらにパッチワークやお菓子作りなど、いわゆるハンドメイドの温かさ。長い間日本人の深層に染みついた因習的な農村の日常が、西洋ではこんなにも豊かで明るいものになりうる、という「夢」。時代がどんどん人間疎外の方向へ進むにつれ、そういう素朴な温かみに対する憧憬はますます強まるに違いない。

だがそれだけの理由で、一人の赤毛の孤児が何十年も日本で、社会的な記号と見なされるまで愛され、有名になってきたとも思えない。日本社会は基本的に、個人主義を根付かせない、また突出した存在を許さない村社会のメンタリティで構成されている。そういう共同体の中で生きにくさを感じていながら、少しでもポジティヴに生活を楽しみたい、そのための福音のように、アンの物語世界に惹かれてもいくのだろう(後述するが、それは日本と奇妙に似通ったメンタリティを持つ、小さな島の開拓者共同体で育った作者のモンゴメリにも、また初めてこの物語を日本語に訳出した村岡花子にも、共通した思いだったことだろう)。

村岡花子以降、日本では幾人もの翻訳家がアンを訳している。いろいろなヴァージョンでこの作品が読めるのも、英語圏の読者にない楽しみではないだろうか。なかには英語に対する正確さでは村岡訳を上回るものさえある。皆がアンを愛し、それに取り組んできた成果であろう。

だが、そもそも最初に出版されたのが村岡花子訳でなければ、「赤毛のアン」が日本でこれほど熱狂的に受け入れられただろうか。少々誤訳があろうが文章が抜けていようが、そんなことは大した問題ではない、とさえ思ってしまう。どこか懐かしく慕わしい、けれど狎れ狎れしくない、生き生きとした香気のようなもの。それが醸されてくる源泉は、どこなのだろうか。

私が最初に東洋英和女学院（当時は東洋英和女学校）黎明期の寮生活に興味を抱いたのは、片山廣子の随筆からであった。同校で村岡花子の先輩に当たり、長く親交を結んだ片山廣子は歌人であり、アイルランド文学の翻訳者でもある。その翻訳の文体は、まるで昔の聖書を思わせるようにゴツゴツと味があり、荒々しくもあってかつ繊細、という不思議な魅力のあるものだった。戦後彼女が上梓した『燈火節』という随筆集には、自身が八歳から十年間、東洋英和でカナダのメソジスト派婦人宣教師たちと寮生活をともにした頃のことが時折描写されている。東洋英和女学校初期の寮生活では、朝の礼拝、祈禱からはじまって午前中は日本語で、午後からは英語で学業を、さらに夜餐のあとの祈禱、日曜日の礼拝（日曜は安息日であるからして一時から四時までは何もしない静かな時間を守らなければならなかった）、宣教師たちの居室の掃除の仕方、洗濯、料理など、それは日本に居ながらにして西洋そのままの生活だったという。子どもたちの罰し方、掃除の仕方、料理の仕方、西洋というより、モンゴメリの生きた時代のカナダそのものだった。モンゴメリが（宗派こそ異なるが）厳格なクリスチャンの祖父母に育てられたことを思えば、東洋英和における当時の寮生活とモンゴメリの生活は、漂う宗教性までよく似通っていたのである。

特に聖書に関しては、片山は「自分の体臭の一部となっている」とまで述懐している。それは、過ごした時期こそ少しずれるとはいえ、同じ学校で十年を過ごした村岡花子も同様であっただろう。当時の東洋英和の教育の特色は、国際的な社交の場にも身を処すことができる、教養ある家庭婦人の育成にあった。勢い集まる生徒は上流階級出身者が多かったが、片山廣子もその例にもれず、没後に彼女を知る人々の書いた追悼文には一様に、才能豊かな良妻賢母の令夫人、聡明で近づきがたいところのある神秘性、静かに微笑んでいる姿ばかりの印象がつづられている。が、中に一人、まったく毛色の変わった「思い出」を書いている人がいて、それが村岡花子だった。夫の死後まもなく、悲しみのうちに日々を送っていると思われた片山を、村岡が訪ねたときのこと、「〔…〕きょうね、馬込のほうへ散歩にいったときにね、弁天池の底へ結婚ゆびわをほうり込んできました。「もう、あなたとの関係はこれまでです」ってね。せいせいしたわ〔…〕」（村岡花子「弁天池――K夫人のことども」）

この烈しさを見せて何の誤解の心配もないと、あの用心深い片山がここまで村岡には気を許していたのだ。二人の間にはよほど通底するものがあったのだろう。片山は村岡の中にもその烈しさを認めていたに違いない。

村岡花子は、クリスチャンホームに生まれ、学生の頃も前述の通りキリスト教的な環境の中に浸って生活していたが、当時は信仰に対する懐疑的な思いもあった。「〔…〕根本的に神の存在を疑っていたのだから、あの平穏な楽園の中をひとりさまよう子羊のようなものであった」（村岡花子「静かなる青春」）。モンゴメリもまた、従順で敬虔なクリスチャンというには程遠い、ラディカルな神学思想を持った女性(村岡はこれよりはるかに健康的であるが)であった。洋の東西を問わず、女性の生き方が今よりはるかに型にはめられ、そこを逸脱しようとすれば大なり小なり社会的な制裁を免れ得ない時代であった。少なくともその中で二人、モンゴメリと村岡は、自分自身の頭と言葉で考えようとし、それはそのまま、葛藤の中で生きるということだった(片山廣子の苦悩は少しそれとは違う質のものである)。

片山廣子はモンゴメリより四歳ほど若く、村岡花子はその片山よりまた十五歳ほど若い(であるから、村岡花子が生活を共にし、教えを受けたカナダ婦人たちはモンゴメリと同世代ということになる)。村岡は、佐佐木信綱門下の歌人としても大先輩に当たる片山に受けた影響を、「深い静寂」と呼んだ。

「けれどもこの静かさは―略―心に深い疑いと、反逆と、寂寥とをたたえた静かさであり、内面的には非常に烈しい焰を燃やしながら、周囲にその烈しさを語り合う相手を持たないことからくる沈黙であった。私が今、若かりし日の自分を思い返そうとすると、いつも孤独な気持ちで表面は非常に穏やかに、行いすましていた姿しか眼に浮かんでこない。

明治から大正時代へ移っていく烈しい時代の動きをよそにして、婦人はおとなしく、慎み深く、控え目に、しかしながら心の持ちかたはたくましく、正しい道を一筋に歩むようにと教え込まれるかたわら、宗教上の勤行も相当にきびしく押しつけられるのだから、必然的に自由の世界というものを内へ内へと築いていく。

私の若い心は思う存分に疑い、夢を見、反抗して、しかもその時代の若い人々が実社会で、さまざまな生きた問題とぶつかり、ぐんぐんと進路を展いていくのとはまったく交渉のない生活を追っていた。〔…〕」(同)

表面的には自身の属する群れに従順だが、内側には深い孤独を抱え、内なる世界に自由を求める……。これはほとんど、モンゴメリの内面そのままの描写といってもいいのではないだろうか。モンゴメリと村岡花子にとって、アンは同じ資質を持ちながらも、葛藤と苦悩からは縁遠い、「こうあれたらどれほど楽か」という存在であったのだろう。

ことに村岡が『赤毛のアン』を訳出していた当時、日本は第二次世界大戦のさなかで、敵性国家出自の文化はことごとく排斥されている時代であった。『赤毛のアン』の中に描写されている生活は(村岡も学生時代、アンのようにテニスンの詩集を読みふけり、観客の前でその詩の暗誦をしたことさえあった)その文化で育った村岡には自分のアイデンティティの根幹にかかわるものであっただろう。空襲警報の鳴る中、防空壕にまでその原稿を持って走った、という彼女の心中は察するに余りあるものがある。単なる「翻訳仕事」ではなかった。自分自身の魂がかかっていたのである。

村岡花子訳「赤毛のアン」は、そういう時代と資質をともにした二人の女性の、奇跡的な合作なのだった。

改めていうまでもないが、「赤毛のアン」は、カナダ東部沿岸に浮かぶプリンス・エドワード島を舞台にした物語だ。作者のモンゴメリは、スコットランドからこの島へ渡ってきた移民五世である。父方のモンゴメリ系、母方のマクニール系、ともにプリンス・エドワード島の名門であった。

開拓民は、互いによき共同体という群れとなり、助け合っていかなければ生きていけない。隣人愛をとくピューリタンたちは(当時彼らのいう「隣人」というのは彼らの種族内だけのことで、他の種についてそれは適用されなかったようであるが)特に強いきずなを持ち、互いに支え合っていた。身内を大切にするあまり、排他的になる傾向をもつものもあっただろうし、身内の中の有名人を、まるで自分自身のことのように誇りに思うものもいただろう。世界中を見たわけでもないのに、自分たちの住む場所の自然さえ、世界中で一番美しい、と断言するものもあっただろう。自分自身の「漂泊する心」を抑え込み、開拓者としてその土地に根付かせる何らかの理由が必要なのだ。

プリンス・エドワード島は、ヨーロッパからの開拓者たちにとって、最もヨーロッパに近い土地の一つであり、そこから、ともすればもっと西へ西へと向かいたくなる気持ちは相当のものであったろうと思われる。またはメイン州を経由してアメリカを、さらに西へ、南へと。

プリンス・エドワード島とはつまり、彼らにとって、旅は終わり、自らここで生きていくと覚悟を決めた土地のことなのである。勢い、そこは他のどこにも増して素晴らしいところなのだと、自分自身にいい聞かせなければならなくなる。

それは生まれてすぐ母親を失い、親族・共同体を支えとして生きていかなければならないモンゴメリには、特に強化されたメンタリティとなった。私たちは今、彼女の作品や日記でそれをしのぶことができるし、この小文でもそのことに言及せざるを得ない。確かに、共同体の中で受け容(い)れられ、尊敬される存在でありたい、有名になり名声を得たい、という彼女の思いの強烈さは、彼女の人格の基調をなすものと思われるが、その時代や同じ場所を生きていない私たちには、それを今の価値観に照らし合わせて簡単に評価を下すことはできない。

例えば、プリンス・エドワード島の自然は世界一美しい、と彼女が断言するとき、彼女は理性の人ではなく、彼女の特質の一つである、ディオニュソス的ともいえる陶酔境の中にあったと思われる。それは彼女の生きた時代、洋の東西を問わず霊性をもった女性たちがそれぞれ内圧の高い共同体の中を、ある種の烈しさを内側に抱えて生きるとき、現れてくる「逃れようのなさ」の一面でもあった。彼女は時代の制約の中で、世間体を気にしながらも自分の資質を精いっぱい活(い)かし、「個」をまっとうしようとしたのだった(こういう姿勢は、自分を傷つけたリンド夫人に納得がいかないながらも謝らねばならないとなったとき、また自分はアメジストを盗んでいないにもかかわらず、盗んだと「白状」しなければならないとなったときの、どうにかして自分の個性を生かしたまま共同体の中で受け容れられようとする、アンの「苦心の跡」にも現れているかもしれない)。

幼いころから才気煥発(かんぱつ)だったモンゴメリには、両親の後ろ盾のない、共同体の中での生活は、屈辱や反発を感じることも多かっただろう(それは「エミリー」シリーズの方に色濃く出てくる)。

思いきり愛し、泣き、腹が立てば癇癪も起こし、自分の思うがままにふるまってなお、共同体に愛される、「赤毛のアン」は彼女の理想の共同体ストーリーであった。

カナダ・アメリカなどの開拓地の児童文学は、若い力が古い世代を変えていく、というものが多いが(それに比べて英国、欧州のものは、若い個性が、圧倒的な伝統にぶつかっていくうちに内省を深めていく、というものが多い)、このアヴォンリーという、島の中でも中央から外れた村社会で、誰とも血縁のない孤児としてぽんとばかり放り込まれ、やがて皆から愛されていくアンという存在は、血縁にがんじがらめになっていたようなモンゴメリの理想であっただろう。それは同じく村落共同体的なメンタリティの中で生きていかなければならない日本人女性の憧れでもあり得た。

だが理想や憧れというものはそもそも影を持たない。つまり、奥行きがない。加えて孤児であるアンには、(エミリーのように)本人の背後に連なる親族の歴史の厚みがない。日記や書簡によるとモンゴメリも当初は一回限りの物語の主人公のつもりでアンを設定したらしい。思いもかけぬ成功を得て、出版社の要請で次から次へと書き続けなければならなくなった、というのは、ちょっと庭に出てみるだけのつもりのサンダル履きのまま、いつのまにか本格的なマラソンを始めたようなものだから、モンゴメリも相当苦痛だったことだろう。準備ができていないのだから。しかし、日記、書簡等に見られる本人の愚痴にもかかわらず、アンの物語はむしろ、焦点がアンから外れていくほど、周囲の登場人物の魅力が増していくように思われる。それは共同体という群れの中でもがきながらも、その中で一生をまっとうした彼女にしか書けない、村に生きるリアルな人間群像の面白みだった。

アン・シリーズの中で、もっともリアリティに欠ける二人の人物は、アン・シャーリーその人と、ギルバート・ブライスだろう。ギルバート・ブライスは、カナダ人がこうあってほしいと思う、カナダという国家そのものである。地に足の着いた理想を追求し、実際的で明るく分別がある。若々しく有能で合理性もある。アンはその理想(ギルバート)が恋い焦がれ、捉えようとしているスピリットなのだから、この二人には、極言すれば、リアリティなどなくてもかまわないのだ。むしろリアリティがなかったからこそ、読者の理想を投影するキャパシティが生まれ、ここまでの人気を博したのだろう。

この主要人物としてはもっとも影の薄いギルバートはさておき、アンのリアリティのなさは、意識するしないにかかわらず、やはり読者には心のどこかに引っかかるのではないだろうか。

引っかかりの一つ目は、悲惨な幼児期を過ごしながら、その影がどこにもないということ、二つ目は、学校にすらまともには通わせてもらえないほど、働かされていたのにもかかわらず、彼女が披露する、あっけにとられるほどの豊富な語彙と、文学作品に対する蘊蓄の多さである(しかしスピリット、そして神話的な人物には矛盾はつきものなので、これはアンのスピリット性を高めるものと受け止める方が、より豊かな物語世界に通じるものと思う)。

バッジ・ウィルソンのこの作品は、その「二つの引っかかり」に彼女が正面から挑んだ労作といえよう。モンゴメリの原作に埋め込まれたさまざまなキーワードを膨らませ、からませ、整合性を持たせながら、ドメスティック・ヴァイオレンス、アルコール依存、鬱……等々、現代では日常茶飯事に耳にするようになったこれらの現象を盛りこみ、それぞれの人物を陰影に富んだ、立体的な——つまりリアリティのある——ものに描こうとしている、その心意気は伝わってくる。それによって、私たちは現代を生きるウィルソンの個性を知り、モンゴメリの個性を再確認する。ユングを知りフロイトを知り、社会構造に意識的になった現代の私たちの間で生きるアンは、確かにこういう形を取り得るかもしれない。それをどう評価するかは、読んだ読者自身である。

そして私たちは、もう一度モンゴメリの描いた理想の共同体の世界が、私たちに与えてくれた安心感を思い、今度はそのゆったりとした余白に、私たち自身で物語を補完する陰影をつける作業ができるかもしれない。それはすなわち、私たち自身がこの現代で、どう「プリンス・エドワード島」(個人がここで生きていくと決めた土地)を生きるか、という課題でもある。

ナチュラリストの描く森

［二〇一四年］

『リンバロストの乙女』は、一九〇九年に発表されたジーン・ストラトン・ポーターの著作である。けなげな主人公が無慈悲な母親の理不尽な仕打ちに耐え続け、しかも自活の道を探ることにも前向き、最後は魅力的な「王子様」と結ばれハッピーエンディング、というストーリー自体は、いかにも当時の正統派家庭小説らしく聞こえるが、ジーン・ストラトン・ポーターが当時の他の家庭小説の書き手と一線を画しているところは、彼女が生粋のナチュラリストであった点である。

幼い頃から(兄弟たちの手引きもあって)、自然のなかで過ごすことが日常的であった彼女の少女時代は、まだアメリカが原生の森や動植物を多く残していた頃であった。ヘンリー・デイヴィッド・ソローの『ウォールデン』(邦訳『森の生活』)やジョン・ミューアの『シエラ山系での研究』なども世に出ており、ジョン・バロウズ等も活躍、後にネイチャー・ライティングと呼ばれる分野の土台はすでに確立していた。リンバロストは彼女が結婚後しばらくして移り住み、深く愛するようになった森である。

訳者、村岡花子もまた、この『リンバロストの乙女』を、御殿場二の岡の森のなかで熱中して読み、自然に親しむことの素晴らしさを日本の若い人たちに伝えたいと強く願ったのだった。その体験が、彼女を翻訳者の道に進ませる原動力の一つとなったのだと、後のエッセイで述懐している。村岡花子は欧米の「善きもの」を日本社会に紹介することを自身の使命の一つに感じていた翻訳家であった。この作品の場合の「善きもの」とは、主人公のけなげさのみならず、ナチュラリスト的姿勢も含まれるであろう。

ジーンの自然への愛情と観察することへの熱中ぶりは、欧米のナチュラリストの典型的なものであり、本作の主人公、エルノラももちろんその影響を受けて造形されている。エルノラは母親からほとんど育児放棄されていた孤独な幼児期からリンバロストの森が遊び場だった。そこで動植物を観察、ことに蛾の収集が趣味なのだ。どの蛾がどういう幼虫時代を過ごすか、その形状まで熟知している。まさに虫愛づる姫君なのである。普通の女性が蛾を毛嫌いすることは、この作品中もしばしば出てくるので、この作者が、「蛾が好き」ということは決して一般的な性向ではない、ということに無自覚だったわけではない。

また、この作品の特徴は自然に関することだけにとどまらない。これはエルノラを愛する近隣の女性、マーガレットがエルノラに町の学校へ行くための身支度について教える場面である。

「[…]マーガレットはバケツ一杯の水を大急ぎで沸かすようにとエルノラに命じた。—略—湯がたぎると、マーガレットはエルノラの肩に大きなタオルを巻きつけてピンでとめ、髪を洗い、昨夕おしえられた注意にしたがって、美しい髪をかわかした。─略─「さあ、捲き毛はそのままにして、髪は自然に任せておくのですよ。あんなふうに感じわるく、きたならしくもつれさすんじゃありませんよ、エルノラ。学校へ行っているあいだは土曜日ごとにこうして髪を洗い、ふりほぐして乾かすのですよ。」」

当時はようやく配管付きの浴室というものが世に現れた頃で、まだまだ一般的なものではなく、ましてやリンバロストのような僻地ではのぞむべくもない。ヴィクトリア時代の英国の領主屋敷でも、入浴となると猫足のバスタブに、地下の台所で沸かしたお湯を、メイドが何往復もしてバケツで運び入れるのである。髪の毛だけを洗う、ということにしても、たぶん、一週間に一回行えればいいほうだったのではないだろうか。

そういうことは、本筋から外れる、いわば「舞台裏」の話だから、一般的にはあまり小説のなかに出てこない。ジーン・ポーターの小説の独自性は、フィクションであるけれども当時の生活全般の記録としても読めるというところである。自然に対しても、日常に対しても、日頃から観察的に接している女性だったに違いない。

本作の主人公エルノラは、当時の家庭小説の「そうあってほしいヒロイン」そのまま、優しく賢く美しい、優等生の少女だ。美しさ優しさ賢さが、家庭小説の主人公から切り離せない約束ごとである、というなら、小説を生き生きと躍動させるためには主人公以外の登場人物の個性が重要になる。本作で一番自由闊達にいいたいことをいいながら生きているのは、冒頭主人公のいじめ役として登場する実の母親、ケートである。この小文の残りの紙面を彼女についての考察に費やしたいと思う。ケートという人格を考えることによって、この小説の本質が浮き彫りになってくる気がするからである。

キャサリン・コムストック(ケート)は娘のために金を払うということをほとんどしない。娘が笑われ者になるのを承知で、みすぼらしい格好で町の高校へ初登校させる。けれどもまた、身も心もぼろぼろになって帰ってくるだろう娘のために夕食を準備して待つこともするのだ。「いじめ抜く」というのでもないところが、とてもリアリスティックなのである。四年後、母親のせいで危うく卒業の行事をめちゃくちゃにされそうになったエルノラは町での自分の庇護者たる「鳥のおばさん」にこうつぶやく。

「母はとてもゆるせないと思うようなことをするんです。それでわたしがたまらなくつらい思いでいると、今度はぐるっと向きを変えて、結局少しはわたしを愛しているにちがいないと思わせるようなことをするのです。」

現代ならドメスティック・ヴァイオレンスの心理メカニズムが働いていると分析されるだろう。

ケートがたった二人の家族である一方の実の娘をこれほど嫌うのには理由があった。最愛の夫が、自分の目の前で底なし沼にのまれていくのを、ちょうど始まったお産のせいで助けられなかったのである。娘、エルノラの生まれた日が、夫の命日となってしまった。娘さえ生まれなければ、という思いから逃れられない。

ケートは憎みながらも、どこかでエルノラを自分のものと思っているのだろう。母親には娘を、意識せずに、自分の所有物、もしくは自分の生きられなかった半生を生きるもう一人の自分とみなしてしまうところがある。だからこそ他人にはできない辛辣なこともできれば、親身な世話もやける。この母娘は、人里離れた深い森の際で二人きりで住んでいるのだから、その関係性の濃密度は生半可なものではないだろう。切断の役割を果たすべき父親もいない。癒着を緩和しそれぞれの生を引き受けて生きていくためには、それ相応のすさまじい「衝撃」が必要だ。

その決定的な出来ごとがおきる。エルノラにとっての生命線といってもいい、貴重な蛾(これを作者自身がモデルである「鳥のおばさん」に売ることで学費その他を工面していた)を、あろうことかケートはわざと踏みつぶしてしまう。そこでエルノラは生まれて初めて母に叛旗を翻す。ケートはその晩、一人になって自分が「蛾」についてほとんどなにも知らなかったことに愕然とする。

「わたしら親子は近所のどの人とよりも他人同士のようだ」

（本作において、「蛾」というものがどんなに重要なメタファーであることか。真の主人公は「蛾」ではないかと思うほどだ。エルノラが沼地の生活から町の高校へ通うことを可能にしたのも「蛾」であるし、このように二人の関係性が劇的に変化するきっかけになったのも「蛾」、のちにエルノラが婚約することになるフィリップ・アモンと親密になるきっかけになったのも「蛾」なら、ラストでそのアモンの元婚約者とこれもまた劇的な和解をするのも「蛾」なのだ。そもそもその元婚約者とアモンが破局に至るきっかけになったのもまた、「蛾」なのである。運命の転回点には必ずといっていいほど「蛾」の存在がある。）

更にケートは、この事件に憤慨したマーガレットにより、最愛の亡き夫が実は自分を裏切っていたことを知らされる。一途な夫への愛は、一転して憎悪に変わる。そして、エルノラへの憎悪が、これもまた熱烈な愛情に変わる。激しい感情の流出が、彼女をエキセントリックに見せているのであって、いわゆる悪人ではない。善悪で判断できるような俗界にいる女性ではないのだ。娘・エルノラは、母・ケートから疎んじられ、惨めな生活を送っているときからそのことを見抜いていた。

「［…］お母さんは正直なのだわ！　嘘をつくような心配りはしないのです。たとえ、どんなことが起こってもありのままを言いますわ。」

ナチュラリストであるジーン・ストラトン・ポーターもまた、森を、単に美しいだけのところとして描かない。リンバロストの森の聖なる側面の象徴がエルノラなら、悪魔的な側面に、森に出没する得体の知れない悪漢としてピート・コーソンを配する。ピート、つまり泥炭という名前を付けるところから、彼が沼地の一番奥深いところを象徴していることがわかる(しかし、この小説では彼はそのごく善良な一面しか出せない)。

蛾を殺したことでついに娘に決定的に拒絶されたケートは、その償いのため、深夜の森で蛾の採集を行うのだが、このときの彼女の、なりふりかまわなさは、この小説中の圧巻の一場面だ。娘を取り戻すためには、同じ蛾をつかまえるしかない、と思い込んだ彼女は、夜の森にひそんでいたピートをむりやり蛾を捕らえるための助手に使う。

「ここに出て来て手を貸しておくれ。―略―そおっと扱うんだよ! いためようものなら、お前さんの身にどんなことが起こるか保証のかぎりではないからね! ―略―わたしはもう一匹つかまえるか、死ぬかのどちらかだからね。」

娘を失えば、自分の半身がなくなるのと同様、生きてはいけないと悟ったのだ。蛾を捕らえておくのに、大きな袋が必要、と判断した彼女は、とっさにスカートを脱ぎ、それで手早く袋をつくってしまう。ピートの目の前でである。未だかつて家庭小説で女性がスカートを脱いだ場面が――しかもこれほど堂々と――あっただろうか。自分をじゃまするものには容赦なくリヴォルバーをぶっ放す、と本気でわめき、ピート以上に得体の知れない男どもを撃退する。

「今すぐ出て来なさい。でないと、お前のくだらない体を孔だらけにしてひきわりもろこしの篩にしてやるぞ！」

ようやく家に帰り着いたときの彼女の姿は、

「服のスカートはなくなっており、ペチコートは濡れて泥だらけになり、服のウェストの部分は体から引き千切られそうになっていた。髪は湿って紐のように垂れさがり、泣いたために目は赤くなっていた。」

そして目を丸くしているエルノラにいうのである。

「エルノラや、わたしの娘や、母さんがもう一匹蛾を見つけて上げたよ！」

なんという凄まじい、また不器用な母親であることか。

そして、エルノラが蛾を始めとして昆虫類に詳しいように、ケートは植物に造詣が深い。亡き夫の浮気相手が癌に冒されたと知れば、思い切り悪態をついた後、症状によく効く植物の処方を教えているし、野でサラダにするためのたんぽぽの若葉を摘み、また、娘のために町へ移り住むと決意するや否や、それまでの山家暮らしで真っ黒になった自分の顔を、娘が恥をかかないよう、都会風につくり直す。森のよもぎぎくを摘んで煎じ、オートミールと合わせてドロドロのパックをつくり、顔や手足に塗り、皮膚を一度むくのである。そして見事な色白の肌を復活させた。これは現代の皮膚再生美容法、ピーリングと同じ原理である。当時現実にあった美容法なのだろう。

清らかで美しいエルノラと、美醜や善悪を超越した圧倒的な力をもつケート。どちらか一人が欠けてもリンバロストの森は表現できない。自然のもつ麗しさや恐ろしさを熟知していたジーン・ストラトン・ポーターは、そのことを良く知っていた。やはりとびきりのナチュラリストであったのだと思う。

うかつには読めない

［一九九六年］

実は、『不思議の国のアリス』は素直に好きとはいえない作品だ。他の英国の児童書と比べて、しっとりとした細やかさとか、微妙な心理描写の陰影に富んだ味わいとかが、まずまったくない。過剰なナンセンスが、当時では斬新そのものだったに違いない展開の速さで繰り出される。粗暴といってもいいくらいだ。登場するキャラクターは、皆、記号的で、当時の他の子どものための本に見られるような、擬人的な感情の流れなど、ほとんど持ち合わせてない。

ただ、なぜか、ものすごく、気になる。

その日、私たちは、北ウェールズのスランドウドノにある、昔アリス・リデルの夏の家だったというゴガース・アビィホテルに着いた。雨は一応止んでいた。

ホテルは上品な退役軍人夫妻たちの、シーズンを少し外れたリゾート、といった趣だった。その日は朝からハプニングの続出で、私たちは疲れていた。そこでそのまま休めば良いものを、受付嬢に地図を貰い、町の中心部にあるラビット・ホール（アリスの博物館・ショップ）へ出かけることにした。日没までにはまだ間があったのだ。

ところが途中、どう地図を見ても、自分たちの居場所はおろか、そのホテルそのものさえ、つまりどこから自分たちが来たのかさえわからなくなってしまった。ホテルで教えられたときはわかっていたのに。あまつさえ、また雨が降り出した……。

それでも、私たちは信じられないくらい美しく丹精されたテラスハウスの庭を見ることができたし、子どもたちの楽しいマスゲームの練習にも出くわした。そういえば、その日の朝、峡谷で迷ったときだって、ブラックベリーの大群生を見つけたのだった。

ようやくラビット・ホールに着いたとき、私たちはなんだか不吉な感じがしていた。ドアが開かない。すでに閉館時間だったのだ。立ち去りかねて、ショーウィンドウからのぞいているアリスグッズを未練がましく見つめ、それから私たちはとぼとぼと帰路に着いた。

「私、本当のこというと」

連れが突然口を開いた。

「アリスの話って、あんまり好きじゃない」

私は驚いた。彼女は生まれはアメリカだが、英国には長い。児童文学に造詣（ぞうけい）が深かったので、てっきり興味があるものと信じていた。

「実は、私も……」

私たちは顔を見合わせ、彼女はその言葉に勇気を得たように、ひとしきりルイス・キャロルの悪口をいい出した。いちいちごもっとも、と私はうなずいたあと、「じゃあ、なぜ、私たちはこんな思いまでしてここへやってきたの？」

そうなのだ。

うさぎ穴は運命そのものなのだ。好き嫌いのレベルをはるかに超越している。気が付いたら、入ってしまっている。大体その日一日、すでにラビット・ホールの中にいるようなものだった。私たちがアリスの物語をあまり好きになれないでいるのは、うさぎ穴に陥った当事者としての、途方に暮れた心情を、あまりに切実なものとして感じ取ってしまうからなのだろう。わけのわからない運命に振り回される屈辱感や、底知れぬ穴の、向こうに広がる闇への恐怖までも。

うかつには、読めない。

ビアトリクス・ポターと湖水地方、そして「青い服のウサギ」

［二〇一六年］

最初のさえずりは一羽のアオガラ(blue tit)、出だしは戸惑い気味に恐る恐る午前四時二十分に始まった。が、すぐに我を忘れたように歌に熱中、やがて他の鳥もあちこちから合唱に加わる。昨日、ロンドンで迎えた朝もそうだった。

ここはウィンダミア湖畔の町ボウネスから少し内陸へ入った、森のなかを走る道沿いにあるホテルで、ロンドンから約四五〇キロも北へ離れているというのに、同じ時刻に鳴き始めるなんて、五月の湖水地方は春を迎えた喜びにひと際(きわ)活気立っているのだろうか。私は昨日の夕刻暗くなり始めた頃到着し、まだホテルの周囲すらよく見ていない。このさえずりのコーラスが、森に――正確には小動物たちに――出会える予感をますます高め、時差のせいで夜明け前から目が覚めていた強みですぐにベッドから降りて身支度を済ませ、階下へ向かう。薄暗いなか、ポツンと灯りのついたフロントでウォーキングに適した道を確認し、木製の重い扉を開けると、森から流れてくる朝靄(あさもや)の冷たさに身も心も引き締まる思い。

太陽はまだ上がる前で、それともどこか、私の知らない「定位置」で、もう上がっているのだろうか、上がっているにしても、この、木々の枝が両側から差し掛け、小川に沿って緩やかに下っていく小道に陽が届くのはまだまだ先だろう。けれど辺りの様子がわかるほどには、十分明るくなっている。小川の水は川筋のあちこちで石や窪みに引っかかっては流れ行き、転がるようにいくつもの澄んだ音を立て、それらを間断なく絡ませながら、透き通った調べをかなでる。合間に鳥の声が混じる。その合奏に、心も体もフィルターごと浄化されるような思いで歩いていくと、石垣越しに朝露に濡れた牧場が広がる。牧場の真ん中にはどっしりとした木が、シルエットをはっきりさせて立ちすくんでいる。陽が上がれば、牧場にくっきりとした影を落とすだろう。遠くには荒涼として寂しげな山々の稜線が浮かぶ。

湖水地方だ。

懐かしさに思わず深呼吸をする。

最初にここに来たのはもう三十五年ほど前になる。それから何度か訪れたが、他の地方のようにめまぐるしい変化はなく、その「変わらなさ」は信じられないほどだ(もちろん、地球規模の環境の変化の影響は、否めない)けれど、たまたま幸運が続いてこの自然があるのではなく、この地方を愛する人々の信念と努力あってのたまものだ。その筆頭に挙げられるのがナショナル・トラストの活動、そしてその創設メンバーとも親しく交際のあった、ビアトリクス・ポターの存在である。

ポターが生きたヴィクトリア朝期には、植物学、動物学、考古学、天文学、地質学、等々自然科学的なもの全般、つまり博物学に対する、階層の上下を問わない社会的な熱狂があった。ビアトリクスとその弟バートラムも――その当時の富裕層の家庭にありがちなことだが――他の子どもたちとの交流のほとんどない子ども時代、動植物や昆虫の観察や骨格研究(たまたま得た死骸を煮沸(しゃふつ)して骨格標本を作るまでしている)に明け暮れていた。時代の流行、というよりも、生まれながらにして自分を取り巻く世界、自然の成り立ちについて、飽くことのない好奇心があったのだろう。女性の活動が――特にポターの属していた階級の女性たちは――今と違って著しく制限されていたなか、植物画を描くことは女性の無害なたしなみとして推奨されていたので、幼い頃からその方面に才能を発揮していた彼女は、絵画の個人教師をつけられるなど両親からの積極的な援助を受けていた。

毎年家族でスコットランドの田舎や湖水地方への滞在を繰り返していたビアトリクス・ポターは、現地でもキノコや化石の観察に余念がない。博物学的な興味は、そのまま対象に美を見出す。彼女は自分自身が美しいと感じた化石や道具類、キノコなど、図録の域を超えたデッサンや水彩画を数多く残している。ポターが手がけると、それは学術的に正確であるだけではなく、キノコでも、化石の絵でも、調和と静けさが封じ込められ、見る人に本質的な美を感じさせるのである。ポターのキノコへの関心の学問的な深まりは、国立キュー植物園に論文を持ち込むほどだったが、当時のアカデミズムの女性軽視にぶつかり、不首尾に終わる。

菌類学者への道は断たれたかに見えたが、大自然への尽きせぬ愛情は、決して揺らぐことがなかった。それは絵本の創作へと注がれていく。湖水地方、ソーリー村に居を構えた彼女は、絵本の印税で得られた収入で、湖水地方の土地を次々と積極的に買い取り、死後はその土地のほとんどすべてをナショナル・トラストに寄付した。

世界がだんだん明るくなる。私はそろそろホテルに戻ろうと、来た道を引き返し始める。先ほどの牧場の、大きな木の辺りに、何かチラチラ光るものが動いている、と思う。もしや、と双眼鏡を構える。果たしてその「光」の正体は、ウサギたちの白いお尻であった。その跳ね回る仕草の愛らしさ。弓なりに跳ねては白いお尻が閃き、地面に着地して「光」が消える。次第に明けゆく世界のなかで、その「光」はまるで、湖水地帯の生命の輝きのようだった。ビアトリクスが、ウサギのあらゆる体の動きや表情を克明にデッサンしていたことを思い出す。現実をしっかりと把握する科学的精神を保ちつつ、そこに子ども時代の想像の力をそっと加えることによって、人生は魅力的に輝き出すのだと語っていたことも。想像力はまた、ビアトリクスが孤独な少女時代を通して培った、自分の世界に飛ぶための、自然科学に並ぶもう一方の翼だったのだろう。

「まったくどういうわけで、キノコが手を叩きながら笑っているなんていう想像にとりつかれるのか、自分でもわからない。ただ、森の落ち葉の中から、あの小さなキノコたちが一斉に顔を覗かせていたり、環（リング）をつくって生えていたりしているのを見ると、どうしてもそんな気がしてならないのだ。あれはきっと、妖精の環（フェアリー・リング）だと思う。秋の森の中で命を吹き込ま

れた、キノコの妖精たちなのだ」(ビアトリクス・ポターの日記から)*

翌日、ホークスヘッドにあるビアトリクス・ポター記念館を見学する。ここは彼女の夫となったウィリアム・ヒーリスが、弁護士事務所を構えていたところ。全体にこぢんまりとした造りで、軒も低い。背の高いヒーリスは、しょっちゅう頭をぶつけたのではなかろうかと想像する。

記念館には、ビアトリクス・ポターの代表作といってもいい、ピーター・ラビットが誕生するきっかけとなった絵手紙が所蔵されている。この絵手紙はそもそも、彼女の家庭教師だった女性の息子、ノエルへ送ったものである。その本物を初めて目にして、私は深い感慨に打たれた。ペンのタッチに、年少者へ親しげに語りかける、その息遣いがまざまざと感じられたのだった。

この絵手紙を描いていた時点では、ポターはこれをやがて本にして……などとはまったく考えていなかった、と確信する。そういう打算の立ち入る隙はないと思われるほど、小さな子の耳元で秘密のお話を囁く、ポター自身の喜びにあふれているのだ。決して大胆で緻密なストーリー性に圧倒される、というものではない。日常から、ほんの少し、何かを逸脱させる。なるほど、ウサギが服を着たらこうなるだろう、と信じざるをえない絵。それって、ほんとう? と、子どもが目を丸くするほど、ポターの絵は、写実的だ。親しい子どもに心を込めて囁くお話だから、絵も、添える言葉も、他にない魅力を放っている。ポターのなかにある幼い頃からの想像力が、ようやく伝えられる仲間を得て、嬉々として躍動しているかのようだ。研究者、ナチュラリストとしてのポターと、ファンタジストとしてのポターが、愛する子どものために手を結んだ、他に類を見ない手紙を仕上げた後、ポターのアーティスト魂は、そのことの奇跡に気づいたに違いない。そして、これを本にして、もっと多くの子どもたちに届けたい、という情熱は、祖父母譲りのビジネスの才覚に支えられ、出版に関しての数々のアイデアを実現していき、そのほとんどが大成功することになる(そしてそれが結果的に、湖水地方をそのままの形で残すための大きな資本となる)。

ポターの作品のなかで絵手紙をもとに本に起こした物語は、いずれもこの種の潑剌としたエネルギーと語りかけるような優しさに満ちているが、「りすのナトキンのおはなし」もその一つで、これは前述のノエルの妹に向けて書かれている。舞台になったのは、湖水地方北部のダーウェント湖の周辺の森と、湖に浮かぶ島、セント・ハーバート島。ポター一家はその当時、ダーウェント湖畔のリングホーム邸に休暇を過ごすことが多かった。

翌朝、ウィンダミア湖からグラスミアを経て、私たちはまずケズィックを目指した。ダーウェント湖へ向かうために通らねばならない町なのだ。いつも感じることだが、湖水地方は北へ向かうにつれ、地形のダイナミズムが鮮やかになり、それとともに精神性が高まる気がする。ケズィックからダーウェント湖を船で渡り、リングホーム邸の敷地まで森を歩いた。森の始まりで、ヤマドリタケの仲間のキノコを見つける。虫に食われていたが、心が躍った(ポターの「キノコ熱」が一番高かった頃、彼女はこの森で採集したキノコの絵を幾枚も書いている)。岸辺から見るダーウェント湖、セント・ハーバート島、そして岸辺の木々そのものも、まさしく「りすのナトキンのおはなし」の挿絵そのもので、彼女のデッサンの正確さ、イメージ喚起力に改めてため息をついた。

リングホーム邸では現在の持ち主の好意で、広壮で豪華な邸内を見学させていただく。本物の皮に優美な打ち出しをした壁紙、あらゆる場所、高い天井まで施された凝った細工、等々に、「金に糸目をつけない」当時の富裕層の生活ぶりを思う。そういう育ち方をしたポターが、家を出た後、ソーリー村の小さな農家（コテージ）の生活を、死ぬまで愛し続けたことも。あの、ポター自身スケッチし続けた、地面から生えてきたような農地と農家は、湖水地方の生活の象徴であった。その作品のなかでポターは文化遺産としてのこの地方の生活様式を、永遠に朽ち果てることのない形で保存することに成功したのだった。

彼女の想像力と描写力の結実であるピーター・ラビットは、単なるウサギの擬人化ではない。彼女の愛してやまない湖水地方、いたるところで水の流れが囁き、数多い大小の湖に青い空が映える、この地方そのものの擬人化として、青い服を着ていたのだった。

＊原書より著者が翻訳。なお、この部分を含む、自然観察におけるポターの画業は、福音館書店から一九九九年に出版された、アイリーン・ジェイほか著、塩野米松訳『ピーターラビットの野帳』に、その多くが掲載されている。

〈座談会〉物語をめぐって

［二〇〇三年］

鶴見俊輔
別役　実
梨木香歩

物語体験のはじまり

編集部　今日はみなさんに「物語」というテーマで縦横無尽にお話しいただいて、今一度その意味や、可能性について探っていければと考えています。まず最初に、ご自身の物語体験についてお聞きしたいのですが。

鶴見　人間にとって最初の記憶の場所というのは、すさまじい物語なんですね。それが私の場合は、母親の記憶ですね。ものすごく大きなイメージがある。腕力も何も大変なものだ。それから道徳力みたいなものがあって、こうしろとかああしろとか言うわけでしょ。

そういう圧倒的なものとして相手だけが見えて、自分が見えないわけだ。相手の言うことが全部通っちゃう。通っちゃうけども嫌だという反応だけはあるわけでしょ。それが私の物語の初めなんですね。

確かに、二つぐらいのときから絵本があって、それが英語の絵本で、ショウガパンの本だったのは覚えてるんですよ。その内容というのが、絵に描いてあるショウガパンが家を離脱して柵を越えて逃げていくというもので、それと私の日常生活が両方、本文と付録みたいに合っちゃったんですよね。だから、外にある物語というのは、私が持っている、今生きている物語の付録なんだ。小さい小さい付録に過ぎない。聖書に天使との力闘で腰の蝶番を外されるというのがあるでしょう。つまりあれなんだ。おふくろとの毎日の取っ組み合いで、腰の蝶番を外されたという感じ。それで私は人生と社会に対する対応が外されっ放しのまま、戦争とかね、国家とかいろいろなものにぶつかってきた。簡単にいえば、それが私の物語ですね(笑)。

別役　僕は満州生まれなんです。満州というのは日本なんかとは、ちょっと違う風土なんですね。それで、親父がプチブルだったもんですから、子ども時代はグリムとかアンデルセンとかという童話を与えられるままに読んでいた。その当時の日本の童話の坪田譲治とか、鈴木三重吉とか小川未明とかというのは、ほとんど何も知らないわけです。

そういう形で育っていると、日本へ帰ってきて日本の童話を読む機会があっても、なんとなく物語として食い足らない、日本の童話というのは、要するに日常空間、その連続がそのまま続いているだけじゃないかと。向こうのは一応違う、別世界への冒険みたいなものがかなり約束されてますからね。そしたらね、寺山修司と対談したとき、おまえは子どものころどういう童話を読んでたんだと聞かれた。これこれこうだと。そしたら寺山修司が「だからおまえプチブルなんだよ」と、こういったんだ。ドキッとしましてね。「ああそうか、僕はプチブルなんだ」と思って(笑)。

要するに、その当時の中産階級で、教養主義的にヨーロッパの童話を受け入れて、こういうものが童話なんだというふうに思っている。そういう親から与えられた無意識の物語がそこで何か、ペッとひっぺがされたという感じがするんですね。

梨木　私が一番最初に出合った物語っていうのは、うちの母方の祖母がしてくれたお話ですね。彼女はすごく田舎(いなか)に住んでいたんですけど、休みとかに泊まりに行くと、寝るときに、きつねが化けてバスに乗っていったっていう話をよくしてくれたんです。きつねがお金を払ったんだけれども、あとで見るとそれは木の葉だったっていうような他愛の無いものなんですけれど、それを祖母が話すと、めったに作り話とかしない人だったということもあって、なんだかものすごくリアルだったんです。そういうことが本当にあるのかもしれないと思えて。

別役　梨木さんは、どんな本をお読みになったの？　作品を読ませてもらって、純粋に日本でできあがったものとしては、非常に珍しい文体を持っているなあという感じがしたんですよ。翻訳されたもののような文体ですよね。いい意味だよ。いい意味って、僕の言ういい意味だけど(笑)。

梨木　文章が翻訳文に似ているというのはよくいわれます。物語という限り、そこには必ず語り手がいます。日本文学のそれは、この国の伝統的な黒衣(くろご)のようなもので、必ずいるんだけれども、いないことにしましょう、という暗黙のルールの上に存在します。書き手の方がそれを破ると、読んでいる方は落ち着かないだろうけれど、でも、もっと、そんなルールなんか守っている場合じゃない、という切迫した気持ちで書きたい、と思うことがあり、『裏庭』は特にそういう感じの文体ですね。児童文学では特にフィリパ・ピアスとかのイギリス系のものをよく読みました。

鶴見 明治から大正にかけて、妖精の物語とか『小公子』とか『小公女』が日本に入ってきていて、子どもの中にそれが残ってはいたんですよね。そういう残ってるものを書いていったのが、いぬいとみこなんです。戦争になっても、イギリスへ帰ってしまわずに、ずっと縁の下とか屋根裏へ住み続けたそういうものとの交歓、これが『木かげの家の小人たち』というふうに、いぬいとみこの作品のもとになるわけでしょう。梨木さんの『西の魔女が死んだ』とか『裏庭』というのは、その受け継ぎと考えられるんです。

梨木 私は自分がファンタジーを書いてるとか、何を書いてるとかいう意識はないんですけど、今そこで本当に起こっていることは何かということを考えると、それはやっぱりどうしてもファンタジーという形にならざるを得ないところがあります。

例えば松谷みよ子さんの『龍(たつ)の子太郎』も、単に子どもを産み育てる過程で、盲目になってしまい、龍となって自分の目玉をやるようなプリミティヴな母性が、成長した男の子、つまり理性的な男性性にリードされて、それで何か事を成していくというふうにいってしまうと、全然人の心を打たないですよね。それがああいうふうに、傷だらけになった母龍がものすごい力を振り絞って子どものために山を崩して村に水を流すとかと表現すると、何か人の心はそこで動いて、揺らいで、それでその人の存在の深く底流を流れている、水脈のようなものにつながる隙間ができるような気がするんです。だから、私はファンタジーというのはそういう意味で、人の心に一番リアルに迫るものというふうには考えてますけど。

気配を感じるということ

別役　同じ風景を描いてても、ファンタジーになっている風景というのは、化学組成が違うんですね。そうすると、その世界を体験しましたという感じになるんですよ。梨木さんの作品にもそういう感じがある。

そういう化学組成が違う風景というので、ぱっと思い浮かぶのが、宮沢賢治なんです。同じ風景なんだけども、化学組成が違うから、新しい風景を体験していくかのような感覚がある。

梨木　以前、鶴見さんは宮沢賢治のことを、気配としての文学とおっしゃってましたけど、そのひたひたひたって、浸透圧のようにやってくる、その気配とか雰囲気とか、何か這(は)ってくる感じとかを、何とかして言葉という当てにならないものを使って作れないかなとは常々思ってはいます。

別役　役者が舞台に立って芝居してるときに、今、ほっとくと、ほぼ、顔の表情だけの芝居になっちゃうんですよ。テレビなんかだと特にそうなんですね。表情だけの芝居になる。本人もわかってるんだけども、全身を使わずに、どうしても顔だけで、悲しいとかうれしいとかと表現しようとする。そのときに気配を感じなくなってるんですよ。

その顔だけの芝居を全身の芝居に直すためには、物の気配を体によみがえらせなくちゃいけない。例えば、なにか物があって、それを気配で感じられるように、何回も何回もそばを通ってみる。気配をよみがえらせて、気配の感受性が高くなると、表情の芝居じゃなくて、ちゃんと全身の芝居に返っていくということになるんですね。

でも現代は、気配を感じ取る感受性というのが、子どもたちなんかでもどんどん少なくなった。感受性が鈍化したということですよね。ある程度、気配を感じ取る感受性を子どもたちにつけておかないと、いろんなものが感じ取れなくなってくる。

鶴見　気配というのは、学齢前に養われる感覚だと思いますね。昔の日本の家というのは、一つの空間としてあって、どこで音がしても、それが気配として感じられる。で、気配として感じる力があると、動物としての子どもは、親の顔が見えなくても話ができなくても、安心してるんですよ。だれもいないというと恐ろしいんですが、どこかで何か、音の感じがあると、存在がつながっているという感じがするんです。母親の方も、見えないところで何か起こっても、子どもがどこにいるかというのは、気配でわかるから、安心して仕事をしていられるでしょう。

その気配の感覚というのが学校教育が長くなってしまって、いろいろなことを詰め込まなくてはいけなくなると失われるんじゃないでしょうかね。

別役　そうなんですね。言葉も音声ですから、音声としての言葉は気配とコミュニケーションする。だけど最近の子どもは、知的になればなるほど、言葉は字であるというふうになっている。感覚としてなかなか音声としての言葉が入らないから、気配の感受性を通じて言葉を受け取る必要もなくなってくるというようなことがありますね。

鶴見　本当にゼロ歳から学齢前の六歳までというのは、ものすごく多様な、気配を縦横に使ったおもしろいコミュニケーションがあるんです。

動物の世界の豊かさというものがあるんでしょうね。この時期の子どもに接することは、母親にとっても、かなり年とってからもう一度もとの動物の世界に帰れるチャンスなんですよ。このチャンスを使うかどうか、母親は試されてるんじゃないかな。やっぱり母親と子どもの関係というのは、動物的なコミュニケーションですから。それで積み残しがあって、ディスコミュニケーションがあるということに気がつく母親は少ない。

別役　少ないんですよね。それで、僕ね、どうも最近は、生まれたときすぐに動物的関係を失ってしまっているから、むしろ育児過程を通じて動物感覚を逆によみがえらせるような、そういう教育のようなものが必要なんじゃないかなという感じがするんです。育児過程を通じて気配で子どもの存在を感じとるためには、体を使う作業を通じて、失われた感覚をよみがえらせていかないといけない段階へ来てるんだと思います。

鶴見　母親が気配を感じ取る力を失うと、育児をマニュアルどおりにやったら大変なことになるでしょうね。

梨木　家族同士でも、まったく違う言語体系の中にそれぞれが生きていて、話せばわかり合えるのかというと、決してそういうことはなくて、しゃべればしゃべるほどお互いがどんどん遠くなる感じがするんです。

鶴見　そういうことはある。大人がさらにさらに遠ざけていく。

梨木　だからそういうときは、何もせずに、ただ二人で一緒にお茶わんを洗うとか、そういうことの方が、かえって近しくなれるような気がします。

物語の中の気配

編集部　先ほど、宮沢賢治の話が出ましたが、物語の中の気配とは具体的にどのようなものなのでしょうか。

梨木　最近、すごく古い家を入手したんですけど、あちこちにいろんなわけのわからないものがいっぱいあって、闇をいっぱいはらんでる家なんです。それこそ、あちこちに気配がある。そして、そこから物語がどんどん立ち上がってくる感じがします。

別役　例えば僕が子どものころは、怖い話というのはかなり人気があったんですよね。で、怖い話してくれ、怖い話してくれって、怖い話を要求した。それは、何かしらの気配を感じて、そこに物語を見いだしていたからだと思うんですね。今の子どもも、例えばうちの娘なんかは、怖い話してくれなんていったこと、一度もないんだけどね。

　昔は、家のあちこちに怖い状況ってあったじゃないですか。お便所が暗いから怖いとか、物置の近くが怖いとか。そういうところがなくなったんですよね。

　僕は一度、一九六〇年代に、ミサイル闘争[*1]か何かのときに、新島へ行って生活したことがあるんです。あそこは九時になると、電気がないもので、全村本当に真っ暗になるんですよ。ところが、その真っ暗という感覚が、東京にいると失われてしまう。

　暗いところとか怖いところとかいうものがなくなって、気配に対する感受性が、怖い空間に対する感受性が全部なくなっちゃう。それで、怖さというものが、血みどろとか残虐とか、僕らが見ると、ただ気持ちが悪いだけというふうな生理的なものにすり替わっていった。これは物語が衰弱した一つの原因になっていると思います。

梨木　わけのわからない怖さっていうのがなくなりましたよね。わけがわかったら怖くないんですよ、見えてしまったら。

でも、そういう話を聞くときの、キャーッ怖いといいながら、体じゅうが活性化していく感じというのは、普通の日常では得られない何かですよね。ウキウキワクワク怖いっていう。

さっきもちょっといったんですけど、母の実家というのがものすごい田舎で、夜中に寝ていると、なんか声がするんですよ。それを地元の人は、カッパが谷渡りしている声だっていうんです。そしたら、その声を録音した民俗学者の人がいて、専門家によるとその声は、どうもゴイサギとかササゴイとかの鳥の鳴き声らしいんですね。でも、それを「カッパ」の声としていたほうがはるかに「いい」感じがします。どうも、そのへんなんですね。ゴイサギの方が事実なんだろうけれども、カッパが谷を渡っているときの声だっていうほうが、そこにふわーっと別の世界が広がってくるんです。

一皮むけば物語、というようなことがいっぱいあったからこそ、毎日退屈な日常を耐え忍んでいけたのだと思いますよ。それを、全部あれは実はこうでこうでこうなんだっていってしまうと、夢も希望もないじゃないですか。生きるエネルギーっていうのは食べ物だけじゃないんですよね。月にはウサギはいないとか。生きにくいですよね。そりゃみんな、あそこにいるのはウサギじゃないだろうと薄薄思ったにしても。

言葉以前の体験

編集部　そういう、全てむき出しにされて、気配が奪い取られていってしまうような状況の中で、物語は衰退してきていると。

鶴見　私の場合は幸か不幸か、記憶をたどっていくと、自分というのが非常にとんでもない物語でしょう。その自分の物語から逃れることはできないから、外から与えられる物語が衰退してきても、直接的には関係がないわけだ。

私にとっては、家は自分を育てる場所ではなかった。そういうときに一体どうしたらいいのかというのは、難しい問題なんだよ。日本の小学校というのは大体健全な家庭があるということを前提にしてるんだから、そこで行われる教育は参考にならないんだよ。むしろ、そういう子どもにとっては迷惑になるばっかりだ。

梨木　でも子どもは、どんなひどい家でも逃げようがないですから。

鶴見　そうそう。しかし、私の母親のように正義の人は、それが一生涯わからなかったね。とにかく、私はその正義の人に、ゼロ歳のときから、お前は悪人だと刷り込まれてきた。それで、毎日のように殴られたり縛られたりするんだけれども、復讐しないんだよ、私は。それはね、きょうだい四人の中で、自分が一番愛されているということが、動物として漠然とわかるからなんだよ。だから、愛されることは苦しい、避けたい。もう一つは、正義の人は、はた迷惑だ(笑)、それが私の全哲学を支える礎になった。八十になってもその礎が揺らぐことはない。

だから、あくまでも外にある物語は、付録にすぎないんだ。まあ、これは特殊な例だとは思うんだけど。

別役　鶴見さんご自身の物語があまりにも強烈ですからね。ただ、付録にしろそうではないにしろ、ストーリーが組まれて、それでその領域を楽しんだ、あるいは領域に解放感を感じたという意味での、素朴な物語は失われているだろうという感じはします。それでも、例えばゲームの中だとか、それから情報化の中でも、何らかの形で物語を求めているとは思うんです。

　パソコンのネットワークでの対人関係の探り合いみたいなものは、やっぱりある物語を求めてるのだろうと思います。ただ、それがどういう形で成就するのかというのが難しい。

　近代に入って以降、幼児教育からすでに情報教育になっているんですね。例えば子どもが「アリ」を見て、これなんだろうと思う前に、「ほらこれアリさんよ」って教えられてしまう。子どもは「アリ」という言葉を先に覚えて、その言葉を通じて、「アリ」本体を認識するわけです。まず最初に体験して、その体験した世界に対して言葉があとからついてくるのではなくて、言葉を通じて世界を体験するというふうに変わってきている。

　僕らの時代は、言葉もそれほど多くなくて、言葉で全てを把握しなければいけないということもなかったから、体験したあとに言葉をつけるという余裕があった。言葉そのものが、ものについた記号ではなくて、何かを表現するための内部的衝動を、言葉にしたわけですよ。内側から搾(しぼ)り出すものに手がかりを与えるのが言葉。言葉の発生そのものが違うわけです。だから昔は言葉が出せないどもりなんていうのがいっぱいいた。自分が見たものに対して、どういう言葉を与えていいのかわからないということがまだあったわけです。ところがいまは、どもりも少なくなりましたからね。言葉というものが自分の外側にすでにあって、この言葉とこの言葉を持ってきたらこういう意味になるという具合に決まっている。言葉を通じてしか世界を理解していない。そういう逆転が行われる。事象より前に言葉が入ってくる。これが始まると、言葉は理解できるけども、直接的に世界を感じる感受性というものはなかなか育たない。それが恐らく問題です。

それと同じことが物語にもいえて、物語られた事象を読み取るのではなくて、物語を情報としてしか読み取れなくなっているわけです。

梨木　テレビゲームなんかでも聖杯とか、いろんな宝物を見つけるとかというので、物語のかけらみたいなもの、雰囲気みたいなものは残っているけれども、その物語の全体性みたいなものが、そこにはないんですよ。

別役　ないんですね。情報化社会って言うのは、情報を解読していきましょうというところに主眼があって、それが局部対応である。総合対応ではなくて、この情報にはこういうふうに対処しましょう、この情報にはこういうふうに対処しましょうと、情報がたくさんあればあるほど、局部だけで、対症療法だけである一定の時間過ごせるわけです。これがやっぱり物語のダイナミズムを失わせている。細かい物語しか我々が体験できなくなっている。そうすると、どんどん情報の中に閉鎖されてしまうんでしょうね。情報って言うのは全体構造から出てくる、ある手がかりみたいなものなんだけれども、そうではなく、情報自体の中に一人一人が閉鎖された環境を作ってしまって、閉鎖された環境の中でのダイナミズムしか追わなくなったという、そういう問題があります。

ただ、依然として物語志向というものは根強くある。それはやっぱり物語というものの強さだろうという感じはしますね。

梨木　メディアが、白装束の何とかを追っかけていく。[*2] そういうのをＴＶで見ていても、やっぱりみんな物語性にものすごい飢餓感があるって、物語が欲しいんだっていう感じが、世の中全体にするんですよ。

何か変なものが見たいというか、そこに何があるのか知りたいというのが人間には根本的にあって、毎日の変わらない日常に対して、よくこちらがその気になって精神を立てて、うちの犬が、何かあると、カッと毛を立てるんですが、そんな感じで向かうと、そこで、何かしら、向こう側に見えてくる、もののけのようなものが何かあるような気がします。どうやって、そのもののけの気配を、しっぽをつかむかって、そういう感じです。

なぜ物語を求めるのか

編集部　なぜそうまでして私たちは物語を求めるのでしょうか。

梨木　なぜ自分はここにいるのか、なぜ自分は自分なのかっていう、そういう絶対答えがないような問いを、人間が自分の核に持っているからだと思います。

子どものなぜに答えられるのも物語という形でしかないですよね。「象の鼻が何であんなに長いのか」っていうのを答えるときに、ダーウィンがどうのこうのっていっても、どう考えたっておかしいですよね。何であれだけそうなのかっていうのは。そこに、物語がすっと答えを差し出してくれて、何かがコトンと納得する。そしてその正解は人によって違う。

それから、物語はファンタジー筋肉を養っ

てくれます。ファンタジー筋肉というのは、私が勝手にそういってるんですけど、現実があって、それと自分の核になるとか魂になるものとの間のワンクッションの力、闇を抱えていく力、わけのわからないものを抱えていられる力のことです。わけがわからないんだけれども、とりあえずここで保留にして次いこうか、というときの「ここ」の感じ。そのわけがわかんないものを、自然科学だの何だのといって無理矢理わけがわかったような感じにしちゃうと、あとですごいしっぺ返しを食らうような気がしますね。

別役　問いに対する答えという梨木さんの話に少しつながるんですけど、全てのことは物語で理解できるんですね。我々が「あの人どういう人?」といった場合、その人に対する物語という形で相手を理解する。物語というのは要するにある事象なり、人物を理解するための文体、方法です。物語によって我々人間と世界というものが常にコミュニケートすると思うんです。だから、物語は作り続けなければいけない。

ただ、物語というものはわかりやすさに流れがちだし、ありきたりの経路をたどりがちだという致命的な欠陥がある。物語で語ることができるというのは我々の知的好奇心にピタリと当てはまるものだけれども、物語はこう語るべきだというルールができてしまっている。例えば起承転結のように、物語自体のメカニズムは強烈なんです。物語には、こうなったらこうならざるをえない、というようなことが様々な形でわなのように仕掛けられているわけです。その既存のルールをどう突破していくことができるのかが難しいところなんですけどね。

鶴見　これからの物語というものを考えて

いくと、漫画というものは無視できないと思いますよ。

　例えば、漫画を読む力は岩波文庫で育った人よりも、子どもの方がありますよ。スピードにおいても、読み取る力でも。一つの画面で、十二こまなら十二こま、全部見ることができるでしょう。あの能力が、大人はないんですよ。旧制高校の世代には。

　桑原武夫が日本文化の研究で、「自分は漫画を読む力がないのが残念だ」といっていた。読めないんだ。もうそれは、八十になると、これから漫画を読む力を身につけようたって、無理なんだね。

別役　そうですね、僕らはもう無理です。読み方はまったく遅いですからね。

鶴見　グッドマンという人物が、劇の研究をずっとやってて、英語の劇雑誌を出したのよ。『コンサーンド・シアター・ジャパン』、彼は、その中の一冊を漫画特集号にしたんだ。取り上げたのは白土三平と赤瀬川原平と、つげ義春なんだ。で、つげ義春を訳すのは難しかっただろといったら、そうじゃないというんだ。

　あれはね、夢の世界でしょう。夢の世界においては世界は共通なんだ。

　この間、私のかかっているお医者さんが、息子が漫画家になりたいというので、アメリカへちょっと連れていったら、漫画コーナーのところに『寄生獣』の英訳があったそうだ。

　実はあれは世界的な問題を扱ってるんですよ。ＳＡＲＳの問題なんていうのは、もう『寄生獣』の中に入ってるんだ。だってＳＡＲＳなんて、今までさんざんいじめられたヴィールスが、捲土重来してバンバンやってきたと考えることができるでしょう。つまり、その世界が『寄生獣』が無意識のうちに描いていた世界なんだ。驚くべきものですよ。

現代は無意識が浮上してくる時代なんです。無意識というのは五十億の人間が共有しているものでしょ。これが地面を霜柱が持ち上げるように、国家という枠組みやナショナリズムというのを下から持ち上げると、変わっていくと思う。

梨木さんの作品に言葉を借りるならば、読む人が物語を通して自分の無意識にまで入っていくと、そこにはだれもが持っている広大な裏庭があって、そこで国家の敷居の下をくぐるんです。そこまで入っていって、物語を作っていくと、これは明らかに、今、国が作ろうとしている新しいかっちりした国家なんていうものは、うまくいきませんよ。全然違う物語の作り方、世界の作り方というものを切り開いていくと思います。

人間の文化が続けばですよ。相当危うくなってきたけどね。

（二〇〇三年五月二十日　京都・法然院にて）

＊1　伊豆大島の南西にある火山島新島に、一九六三年防衛庁のミサイル試射場が建設され、島民を中心とした激しい反対闘争が起こった。

＊2　二〇〇三年当時、白い装束を着て集団で行動するパナウェーブ研究所の動向がメディアで盛んに報じられた。

物語のものがたり
――あとがきにかえて

本書は、これまでに各所でしたためてきた児童文学関係の書評や解説を中心に、集めていただいたものである。十年以上振りに再会したものも多く、自然にデビュー以来の自分のこの分野(児童文学)への姿勢の変遷も現れた形となって、個人的にも感慨深く目を通している。

もの書きを始めた頃のことを書くに当たっては、そこに至るまでの一九七〇年代から八〇年代、当時立て続けに出版された河合隼雄氏の著作に深く影響を受けたことを記さないわけにはいかないだろう。特に『昔話の深層』に出会ったときは、自分がなぜ児童文学に惹かれ続けてきたのか、尽く合点がいったのだった。児童文学は単に読者を年代的に分類するカテゴリーとしてあるのではなく、ひとの存在の核心にある魂に焦点を当てた、個人の全体性を賦活化する物語としてあるのだと確信した。いわばその勢いでまがりなりにも文筆家としてスタートした自分としては、デビューしてしばらく、ファンタジーとは何か、ということをもっと広くわかってもらいたい、という使命感のようなものがあったのだと思う。

しかしカテゴリーに縛られて、これはそう、あれはそうでない、と分別しがちになるのも違うのではないかという逡巡も、当時すでにあったことは確かだ。河合氏のファンタジー論の奥深さを考えれば、浅学菲才の自分が「ファンタジーを語る」ということへのためらいもあった。同様の理由で、私が児童文学者を名乗ることもないだろう。決して学者ではないことは、自分が一番よく知っている。そういう客観性に基づいた実力はない。

いつの頃からか、私はファンタジーという言葉を使わないようになった。自分がものを書く上で一番大切に思っていることは、人間性の奥深く、森羅万象とリンクするような普遍の流れがあるところまで、当の書き手を含む、読者を導いていくような「何か」であり、その「何か」は、かえってさりげなく差し出した方が、「普遍の流れ」を見つけやすく、そして自分の性にも合っているような気がしたのだった。と、ここまで書いてきて、思い出すことがある。

この本の最後に載せさせてもらった鼎談は、まさに自分が「ファンタジーとは何か」について「語っていた」時期のものである。いっていることは概ね、そう間違ってはいないと思うが、今読めば書き込みたいところも多くある。だが現在読んでも魅了されるほどの鶴見俊輔氏と別役実氏の自由闊達さと、特等席でそれが聞けた幸福、あのときの空気感を思えば、何も手を入れることはできなかった(ご本人たちがいない今、それをやれば「後出しジャンケン」になってしまう)。

思い出したことというのは、この鼎談からしばらく経って、ある場所で、鶴見氏にお会いしたときのことだ。私が『家守綺譚』という小説を上梓した頃で、鶴見氏はそれをすでに読んでくださっており、開口一番、「あなた、化けたねえ！」と愉快そうにおっしゃった。いつも氏が知的に昂揚なさったときのギラリとした迫力を持って、目を見開くようにして。私としては、たいそうなことは何も考えずに一筆書きのように書いたもので、お褒(ほ)めの意味の「化けた」実感は毛頭なく、戸惑ったが、それでも尊敬する氏に褒められたのでわけがわからないまま光栄で嬉しかったのを覚えている。私は意識していなかったが、あの頃、あの作品で「さりげなく何かを」差し出していたのだろう。氏はそれを見通しておられたのだと、今ならわかる。

しみじみと、自分の「ボイス」を持っておられた方々だったと思う。ボイス――文字通り、「気配を伴った」声であり文体である。お二人も、また河合氏も、もうこの世におられない。けれど、その「気配」が、彼らの書いたもののなかに、まざまざと息づいているのは驚くほどである。ひとは亡くなっても気配はなくならない。それどころか他者のなかに増えていく――そのボイス如何によっては。そういうことを、最近折に触れて思うようになった。

私は私なりに肩の力の抜き方と入れ方を次第に意識するようになり、この本の第Ⅰ部に載せた「『秘密の花園』ノート」では、楽しみながらそれを行ったように記憶している。ただ気をつけたのは、自分独自の「読み」が、まるで全方位的に正しいものかのような印象を読者に与えてはならないということだった。故に繰り返し強調したのは、読み手それぞれの読みの世界――それぞれの「庭」――を育むこと。けれど、この「ノート」でおずおずと自分の「読み」を展開させていったのでは十全に私自身の「庭」を紹介することはできない。様々な先達たちの影響が残った土で、私自身それを糧として何度も発芽や育苗にトライした後、発見した植物たちの法則のようなものは、自信を持って断言しなければ、伝わるものも伝わらないだろう。一番腐心したのはその辺りのバランスだった。学者でもなく児童文学作家とも名乗らない、いかなる権威とも無縁の一人のもの書きが、こういう読みもあるのだという一つの提案として、けれど確信を持って差し出す……。漠然と目指したゴールはその辺りだったと思う。

第II部の「「ほろびゆくもの」の行方――アリエッティの髪留め」は借りぐらしの小人たちの話で、植物のあふれる画面を読み込む醍醐味が楽しく、嬉々として書いた。これはまた英国児童文学の『床下の小人たち』に連なる物語で、今から六十年ほど前、同じ系譜の設定でいぬいとみこさんが『木かげの家の小人たち』を書かれた。一九九八年、私がほぼ初めて書いた書評ともいえるものはこの本についてだった。既定の原稿枚数では到底足りない「いいたいこと」を、苦心の末、泣きたい思いで短くした。この短い文章に、どれだけの時間をかけたことだったか。要約に要約を重ねたような文章であり、既に固まってしまったこの密度には手の入れようがなく、これもほとんど発表時のまま残した。当時病床にあったいぬいさんとの思い出は、私には宝石のように大切なもので、いつか書けるときが来たら残しておかなければならないと思っている。

「「深く関わっていける」資質」は、石井桃子氏の作品集の一冊に書いた解説で、石井氏については別のエッセイでも書き、すでに単行本に収録されているが、こちらは枚数が多く、石井氏に関して感じていたことを割合にそのまま記すことができた。

「いとしのクレメンタイン、いとしのエリザベス」は赤毛のアンシリーズの登場人物について書く、という雑誌の特集で、好きな人物で、と依頼されたので、昔から気になっていたエリザベスのことについて書いたのだった。

続く「「赤毛のアン」の現在」は難しい仕事だった。アンがグリン・ゲイブルスに来る以前の、不遇な子ども時代を現代の作家が描いた作品だ。無論、モンゴメリの作品でも村岡花子の作品でもない。この解説を依頼され、一読したとき、私には無理だと思った。翻訳された方の実力は申し分ないし、作者のバッジ・ウィルソンさんもまた大変真面目な方なのだということも伝わってくる。読んでいただければわかるが、もし、この主人公があのアンでなければ(私にとって)何の問題もないのに……。率直にそういうことを当時の新潮文庫の編集者、三室洋子さんに伝えると、長年赤毛のアンシリーズを手掛けてこられた彼女は、「おっしゃることはわかります。けれど、アンシリーズは『赤毛のアン』から最終巻に到るまで、解説というものがないんです。全巻のまとめとして、解説を手掛けてみられませんか」。これを聞いて断ることができるファンがいるだろうか。しかし、私の解釈では、文庫版解説というのは、基本的に本文に対する温かなエールの意味合いも含んでいる。自分の文章に誠実であろうとすればするほど、今回はそれができないことを、作者にも翻訳者にも申し訳なく、いたたまれない思いをしながら、正直なところを書くしか仕方がなかった。これが私の「赤毛のアン理解」だと、読んでいただくしかない。

「ナチュラリストの描く森」は、『リンバロストの乙女』の解説として書いたものだ。この小説は、まず現代の読者には敬遠されるのではないか。貧しいがうつくしく才能豊かな少女が艱難辛苦を乗り越え、ハンサムで金持ちの恋人と結ばれるというステレオタイプの話だ。正直にいって、辟易する向きも多かろう。作者もその辺は当時のお約束ごととして割り切って設定したのだろう。この本の主眼は本文に書いたように細部にこそあると思っている。家庭小説の装いをしているが、実は記録文学でもあるのである。

「うかつには読めない」は、ルイス・キャロルについてのコラム依頼がきて、所縁(ゆかり)の地に関わる思い出を書いたもので、今回久しぶりに読んで、遠い日の出来事を思い出し、個人的にも懐かしく思う。

「ビアトリクス・ポターと湖水地方、そして「青い服のウサギ」」は、雑誌社の依頼で取材に赴いた、湖水地方の旅を中心に紀行文仕立てで書いた、ビアトリクス・ポター小論、といったものだが、彼女もまた非常に興味深い女性である。学問的にも芸術的にも才能を持ち合わせた女性が、ほんの一世紀ほど前までどんな生き難さを抱えていたか、今の時代では想像もつかないほどだ。いつかもっと違った形で、彼女のことが書ければと願っている。

編集の藤田紀子さんに感謝したい。彼女の尽力で、ささやかなもの書き人生の、紆余曲折の一端が、読み取れる一冊になっていると思う。自分は何に惹かれ、没頭し、どう感銘を受けてきたのか。書いてあるのは、実はそれだけである。

二〇二一年一月

梨木香歩

初出一覧

＊本書収録にあたり、若干の加筆・修正を行いました。

Ⅰ　『秘密の花園』ノート

『「秘密の花園」ノート』岩波ブックレット、二〇一〇年

Ⅱ　物語の場所

「「ほろびゆくもの」の行方――アリエッティの髪留め」、スタジオジブリ・文春文庫編『借りぐらしのアリエッティ』文春ジブリ文庫、二〇一四年

「木かげの家の小人たち」、日本児童文学者協会編『児童文学の魅力――いま読む一〇〇冊 日本編』文溪堂、一九九八年

「「深く関わっていける」資質」、石井桃子『プーと私』解説、河出文庫、二〇一八年

「いとしのクレメンタイン、いとしのエリザベス」『yom yom』七号(二〇〇八年七月号)

「「赤毛のアン」の現在」、バッジ・ウィルソン著、宇佐川晶子訳『こんにちは アン』解説、新潮文庫、二〇〇八年

「ナチュラリストの描く森」、ジーン・ポーター著、村岡花子訳『リンバロストの乙女』解説、河出文庫、二〇一四年

「うかつには読めない」『MOE』一八巻二号(一九九六年五月号)

「ビアトリクス・ポターと湖水地方、そして「青い服のウサギ」」『ミセス』七四一号(二〇一六年九月号)

「座談会 物語をめぐって」『母の友』六〇四号(二〇〇三年九月号)

「物語のものがたり――あとがきにかえて」(書き下ろし)

梨木香歩
1959年生まれ．作家．小説に『丹生都比売 梨木香歩作品集』『西の魔女が死んだ 梨木香歩作品集』『家守綺譚』『沼地のある森を抜けて』『冬虫夏草』(以上，新潮社)，『僕は，そして僕たちはどう生きるか』(理論社，のち岩波現代文庫)，『村田エフェンディ滞土録』『雪と珊瑚と』(以上，角川書店)，『f植物園の巣穴』『椿宿の辺りに』(以上，朝日新聞出版)，『ピスタチオ』(筑摩書房)，『岸辺のヤービ』『ヤービの深い秋』(以上，福音館書店)，『海うそ』(岩波書店)など．エッセイに『春になったら苺を摘みに』『渡りの足跡』『エストニア紀行』『やがて満ちてくる光の』(以上，新潮社)，『水辺にて』(筑摩書房)，『炉辺の風おと』(毎日新聞出版)，『ほんとうのリーダーのみつけかた』(岩波書店)など．翻訳に『ある小さなスズメの記録』(文藝春秋)，『わたしたちのたねまき』(のら書店)などがある．

物語のものがたり

2021年3月16日　第1刷発行
2021年4月15日　第2刷発行

著　者　梨木香歩(なしきかほ)

発行者　岡本　厚

発行所　株式会社 岩波書店
〒101-8002 東京都千代田区一ツ橋2-5-5
電話案内 03-5210-4000
https://www.iwanami.co.jp/

印刷・法令印刷　カバー・半七印刷　製本・牧製本

ISBN 978-4-00-025327-7　Printed in Japan